PARA

EL NIÑO
El arte de saber educar

NUEVO
ESTILO DE VIDA

PARA EL NIÑO
El arte de saber educar

Dr. Raúl Posse
Pedagogo, ex asesor de la UNESCO
Doctor 'honoris causa' por la Universidad Andrews (Míchigan, EE. UU.)

Dr. Julián Melgosa
Doctor en Psicología, ex profesor del Newbold College y
de la Open University (Universidad a Distancia), del Reino Unido
Decano del Adventist International Institute of Advanced Studies (Filipinas)

editorial safeliz

Serie **Nuevo Estilo de Vida**

Equipo editorial:

Director General	JOSÉ RODRÍGUEZ BERNAL
Director de Administración	ALEJO GOYA
Director de I+D	JORGE D. PAMPLONA ROGER
Producción	ELÍAS PEIRÓ
Organización de Producción	LUIS GONZÁLEZ
Redacción	FRANCESC X. GELABERT, JUAN F. SÁNCHEZ, RAQUEL CARMONA, MÓNICA DÍAZ
Diseño	JOSÉ Mª WEINDL
Fotografía	PABLO LOZANO
Edición electrónica	ELISABETH SANGÜESA JAVIER ZANUY
Control de Fabricación	MARTÍN GONZÁLEZ HUELMO
Impresión	Gráficas Mar-Car / Ulises, 95 / E-28043 Madrid

EDITORIAL SAFELIZ, S.L.
Pradillo, 6 – Polígono Industrial La Mina
E-28770 Colmenar Viejo (Madrid) – España
tel. [+34] 91 845 98 77 / fax [+34] 91 845 98 65
e-mail: admin@safeliz.com – www.safeliz.com

Promociona: **Asociación Educación y Salud**   Agosto 2000: 2ª impresión de la 1ª edición

ÍNDICE

PÁGINA

Prólogo. **7**
Estructura de la obra **10**

1. **La educación en familia** **13**

2. **Los dos primeros años** **33**

3. **El ámbito social** **57**

4. **El carácter y la personalidad** **83**

5. **La disciplina** **97**

6. **La educación sexual** **111**

7. **El niño y la escuela** **127**

8. **La autoestima** **149**

9. **La familia y los valores** **167**

Bibliografía **187**
Índice alfabético **188**
Procedencia de la ilustraciones **191**

Prólogo

Para formar caracteres sólidos

L A SERIE *Nuevo Estilo de Vida* presenta un nuevo libro, fruto de la experiencia y formación de dos verdaderos especialistas. Se publican muchas obras sobre educación, pero pocas tienen el rigor y el criterio que esta de los doctores Raúl Posse y Julián Melgosa.

Destaquemos aquí lo que dice un informe al prestigioso Club de Roma: «Educar es preparar hoy a los hombres del mañana. Pero, ¿cómo vamos a hacerlo si no nos preocupamos de cómo será ese mundo de mañana?»

Esa carencia que denuncia el Informe es una virtud en los dos autores de PARA EL NIÑO. EL ARTE DE SABER EDUCAR. Ambos han entendido y estudiado la educación desde la perspectiva del futuro. El doctor Posse cuenta con una dilatada experiencia como educador y docente. Durante muchos años fue asesor de la UNESCO, y como tal encabezó delegaciones por diferentes países latinoamericanos para impartir consejo a ministros de Educación, rectores de Universidad y formar profesores. No obstante nunca quiso ser únicamente un teórico y se involucró profesionalmente desde los primeros niveles de la educación hasta los últimos del sistema educativo.

«La felicidad es absolutamente necesaria para la producción del mejor tipo de ser humano.»

BERTRAND RUSSELL
Filósofo británico
1872-1970

El doctor Melgosa, ya conocido por los lectores de esta colección –donde publica '¡Sin estrés!' y 'Para adolescentes y padres'–, es un comunicador del hecho educativo. Actualmente se ocupa de la formación del profesorado.

El mismo Informe al Club de Roma señala: «Cabe albergar serias dudas sobre si los procesos de aprendizaje convencionales siguen siendo válidos hoy». La sociedad actual es tan cambiante que el riesgo del llamado "desfase humano" es notorio. Los especialistas llaman así a «la distancia que media entre la creciente complejidad y nuestra capacidad para hacerle frente».

Por eso los educadores, y en especial los padres, necesitan libros hechos con experiencia y rigor como este. Antiguamente la adaptación de los hijos al medio social y material era paulatino y previsible. Hoy es tan cambiante y, al mismo tiempo, los conocimientos de medicina y psicología progresan de tal manera, que necesitamos estar bien informados o el resultado de la educación se puede volver imprevisible. Y ningún padre responsable desea jugar a la ruleta rusa con la educación de sus hijos.

Si algo destaca de las biografías de los autores, y del contenido de PARA EL NIÑO. EL ARTE DE EDUCAR, es la vocación de ofrecer para los hijos una educación integral. Esta, como indica la educadora norteamericana Ellen G. White, «abarca todo el ser y todo el periodo de vida accesible al hombre». Así como la Organización Mundial de la Salud recomienda que la salud ha de ser integral, la educación debe incluir las misma áreas que aquella: física, mental, social y espiritual.

Un apartado que despierta mucha atención por parte de padres y educadores es la disciplina. Los autores están lejos de un concepto del "ordeno y mando", más propio del adiestramiento que de la educación. Un niño que obedece cohibido, puede parecer muy educado, pero cuando de desligue de esas ataduras acaso resulte un desastre. El verdadero objetivo es que el niño se gobierne solo. Para ello debe estimularse la confianza en uno mismo y el dominio de la voluntad. Este es el secreto para conseguir personalidades sólidas.

La actividad mental que se produce desde que nacemos provoca un diálogo interior que va creando afirmaciones positivas o negativas. Ese diálogo va a ser decisivo para enseñar a vivir y ser feliz, que es la meta de todo padre para sus hijos. No podemos ignorar que los problemas, las frustraciones, las contrariedades acompañan a la condición humana desde sus inicios. La cuestión es cómo las perciben los niños y cómo las enfrentan. Nuestra obligación es darles las herramientas adecuadas para conseguirlo. La autoestima es un sentimiento de aceptación de uno mismo, generador de confianza. Si las experiencias negativas se codifican en el cerebro como fracasos personales, los sentimientos de inferioridad se harán fuertes. Bernabé Tierno sugiere que hay que invertir los términos habituales hoy imperantes, a saber: Por cada elogio el niño recibe diez reprimendas o valoraciones negativas.

Los autores han dado una gran importancia a la educación en los primeros años (incluso antes, en el seno materno) porque muchos complejos y disfunciones se adquieren en esos años. De hecho el futuro se edifica sobre esta etapa, para muchos intrascendente. El sentimiento de aceptación y de seguridad es esencial, al punto de que una autoridad como Bertrand Russell dijo: «La felicidad es absolutamente necesaria para la producción del mejor tipo de ser humano.»

Finalmente los autores no se han olvidado de la dimensión espiritual. Y con acierto no confunden la espiritualidad con la religiosidad. Instalar en la esperanza a nuestros hijos no es forzarlos a creer sino darles respuestas a las llamadas preguntas existenciales. Este es un logro al que ningún padre debería renunciar para sus hijos. Eso sí, dejando el margen de libertad para que sean ellos los que decidan. Equilibrar los dos conceptos es la meta a lograr.

Creemos, estimado lector, que ponemos en sus manos excelentes herramientas que le resultarán de inestimable ayuda para conseguir lo mejor para sus hijos. Para lograrlo no hay que esperar a que sean mayores: Ahora es el momento.

LOS EDITORES

E<small>L</small> NIÑO

PARA

El arte de saber educar

cap. 1. La educación en familia
pág. 13

La idónea comunicación en el hogar, el mejor resorte para la educación infantil

Niños y niñas, aun los más pequeños, son tremendamente receptivos. Escucharlos de forma activa y atender sus demandas, impulsa su desarrollo integral y favorece una cálida atmósfera familiar.

cap. 2. Los dos primeros años
pág. 33

Una etapa decisiva para el futuro

No siempre se reconoce el valor de la atención al desarrollo del niño en sus años más tiernos, cuando es un bebé o poco más. A lo largo de esas primeras edades, el niño puede adquirir hábitos de recta obediencia, una confianza básica en la vida y una saludable autoestima de carácter incipiente.

cap. 3. El ámbito social
pág. 57

El comienzo de la aventura en el mundo

El niño ya lo era en el seno materno. Ya entonces tenía unas primitivas "relaciones sociales". Luego nace y la familia deviene su ámbito vital. Pero la verdadera eclosión social se produce, gradualmente, cuando va tomando contacto con otros niños y adultos en la escuela, en el vecindario y a través de los medios de comunicación.

cap. 4. El carácter y la personalidad
pág. 83

Ahora es el momento de formar personas fuertes

El niño de hoy es ya una persona pero, a través de una educación integral y equilibrada, puede llegar a poseer la adecuada dignidad y la necesaria fortaleza psicológica. Además, los buenos hábitos perfeccionarán su carácter. Para todo ello, el amor y el ejemplo activos de sus progenitores resultan esenciales.

ESTRUCTURA DE LA OBRA
ver el "Índice", pág. 5

cap. 5. La disciplina
pág. 97

El amor que endereza el camino

Disciplina no tiene por qué ser sinónimo de dureza o de castigo. Es, más bien, la educación para el autocontrol. En ocasiones revestirá la forma de oportuna reprensión, pero en general consiste en velar, preventivamente, por la seguridad emocional de los hijos y su aprendizaje del respeto a los demás.

cap. 6. La educación sexual
pág. 111

La formación de la identidad masculina o femenina

Un terreno en el que resultan básicos los esfuerzos formativos es el de la sexualidad. La identidad sexual (hembra o varón) y la preparación hacia un sano disfrute futuro de las relaciones intersexuales, dependen de un correcto enfoque desde la infancia.

cap. 7. El niño y la escuela
pág. 127

El laboratorio de la vida social adulta

Cuando niños y niñas dejen de serlo, habrán de afrontar los retos de la sociedad competitiva y productivista. Igualmente, tendrán que poner en práctica patrones de convivencia firme y solidaria. La escuela es el marco en el que ensayan y empiezan a experimentar el núcleo de su vida social más amplia.

cap. 8. La autoestima
pág. 149

El documento de identidad del niño

El amor inteligente de sus padres y el cuidado exquisito de parte de sus educadores, propicia un autoconcepto realista y equilibrado.

cap. 9. La familia y los valores
pág. 167

Los horizontes más puros

Está bien que el niño crezca intelectual y físicamente. Pero la plena madurez solo se alcanza cuando se contemplan asimismo los horizontes morales y espirituales, pensando también en la felicidad de los demás.

La educación
en familia

*J*ORGE *pronto alcanzará la edad de la jubilación. A pesar del tiempo transcurrido conserva con nitidez un buen número de recuerdos de su infancia. Le agrada hablar de cuando iba con sus hermanos y su padre a pescar en las tardes de verano. Recuerda con increíble detalle los cuentos que su madre le relataba antes de dormir. También reconstruye algunas de las trastadas que hizo y las reacciones que en sus padres provocaron. En el ambiente familiar fue donde Jorge aprendió a hablar, a jugar, a tratar con otras personas, a ser honrado y veraz, a trabajar con disciplina... Jorge reconoce sin dudarlo que no sería él mismo sin la influencia de su familia; ya que si no hubiera sido por ella, su carácter, su personalidad, sus gustos, sus hábitos, sus creencias, es evidente habrían sido completamente distintos.*

Para la mayoría de las personas, la familia es el factor de mayor peso en su formación humana. Ella ejerce su influencia du-

> Bien es que los hijos hereden y aprendan todo cuanto bueno sea de los padres, y mejor que se perfeccionen.
>
> **MIGUEL DE CERVANTES**
> Escritor español
> 1547-1616

rante los años de la infancia y la adolescencia, que son los más maleables del ciclo vital. Desafortunadamente, las anomalías en las relaciones familiares han producido efectos adversos en grandes y pequeños. Pero también es cierto que en muchos casos la familia ha sido el más positivo agente de desarrollo integral.

En este capítulo introductorio esbozamos una serie de principios fundamentales en toda relación familiar. Estos principios muestran la *decisiva* **importancia del entorno hogareño** para la formación humana de los miembros de la familia. Después estudiaremos la comunicación entre dichos miembros, las barreras que la dificultan y los medios para conseguir que alcance un nivel óptimo, así como la importancia de escuchar y de participar en ella.

Principios
de la relación familiar

El entorno familiar tiene la capacidad de producir una felicidad inmensa o una desdicha de grandes proporciones. Infinidad de niños y adultos encuentran en la familia el mejor apoyo físico, mental, social, moral y afectivo. Pero también existen muchos cuyos sufrimientos y angustias vienen precisamente de las relaciones familiares deterioradas.

Sin duda todos, grandes y chicos, afortunados y desdichados, desearían establecer unas relaciones óptimas para que la familia fuese un **centro de influencia positiva**. *¿Podemos hacer algo para conseguir ese estado tan deseable? ¿Podemos influir los adultos decisivamente en las vidas de nuestros hijos para que puedan ser completas y felices? Y si eso es posible, ¿cuáles serían las mejores vías en el camino hacia esas metas?*

De hecho, PARA EL NIÑO ha sido escrito con el propósito de dar una respuesta a esta cuestión que nos parece esencial. A tal fin encontrará el lector recomendaciones, consejos, sugerencias, estrategias y planes que

no solo pretenden hacer más llevadera la vida cotidiana en familia, sino que persiguen igualmente convertir el entorno familiar en un ámbito que satisfaga las necesidades más diversas de la existencia humana.

Creemos que el rumbo de la vida familiar, aunque sujeto a circunstancias externas que a veces quedan fuera de nuestro control, se puede gobernar básicamente desde la propia familia. Comencemos ofreciendo al lector una serie de principios fundamentales que ayudarán a apreciar las posibilidades y limitaciones de la convivencia en familia y de la educación de los hijos.

1. **La familia es un sistema de apoyo emocional básico.** Tanto el niño como el adulto encuentran en la familia el soporte diario que les sirve de oasis en medio de las actividades cotidianas. Esta **íntima convicción** se revela en pensamientos o expresiones como: «En casa me quieren, me aceptan, no se burlan de mí. En casa estoy relajado, tengo confianza, descanso y disfruto.» Cuando el sistema familiar funciona (y, con un poco de esfuerzo, tiene grandes posibilidades de ser así), la vida en el hogar es una fuente de salud mental.

2. **La relación familiar óptima y continuada no se produce espontáneamente.** La relación conyugal ha de nutrirse de manera constante. El romanticismo, los detalles, las manifestaciones de cariño, los regalos sorpresa, etcétera, no pueden abandonarse después del noviazgo. Asimismo, el entusiasmo por los hijos, por sus progresos, y la actitud de apoyo activo en la resolución de sus problemas han de continuarse más allá de las primeras etapas (o del primer hijo).

3. **La comunicación eficaz es uno de los fundamentos básicos del éxito familiar.** Las familias que utilizan la comunicación a todos los niveles fortalecen cada vez más los vínculos psicoafectivos que unen a sus miembros. Este principio se aplica entre los cónyuges y también con los hijos. Comunicar senti-

El tiempo dedicado a estar con los hijos, tanto dentro como fuera del ámbito hogareño, dejará en su ánimo huellas indelebles. Así pues, vale la pena considerarlo como una positiva inversión.

mientos, estados de ánimo y expectativas no siempre resulta fácil; pero puede conseguirse con la práctica y en el marco de un **ambiente favorable**. La comunicación profunda incluye una carga emocional y afectiva, unas técnicas para escuchar, para responder y para mantener un tono positivo.

4. **Los primeros años son vitales en varios aspectos de la formación del niño.** Muchos de los hábitos que duran toda la vida se inician en las etapas preescolar y escolar. Aspectos de gran transcendencia, como el desarrollo del carácter, la formación de múltiples rasgos de la personalidad, así como los fundamentos de la inteligencia, encuentran su decisivo impulso en los primeros ocho o diez años de la existencia de todo ser humano.

5. **Una familia de éxito se construye a base de esfuerzo, empeño y dedicación.** El exceso de trabajo por parte de ambos cónyuges resulta cada vez más común, y gracias a ello se posibilita un mayor nivel económico. Sin embargo, es preciso buscar un equilibrio que permita disponer de **horas de calidad** en la convivencia familiar. Algunos padres pueden tener la impresión de que, al realizar actividades con sus hijos, no están aprovechando el tiempo, o que incluso lo están perdiendo. Nada más alejado de la realidad. Todo minuto que transcurre en el ámbito familiar es una inversión para el futuro a corto y a largo plazo.

6. **El conocimiento de las etapas evolutivas ayuda a los padres a adoptar una acción educativa más eficiente.** Con dicho conocimiento, los padres pueden esperar y prever las necesidades futuras, comprobar si los comportamientos manifestados son los propios de la etapa correspondiente, comunicarse más eficazmente de acuerdo con la psicología de cada edad y, sobre todo, ejercer una influencia que en tales condiciones ofrezca las máximas garantías de éxito.

7. **La disciplina es un pilar básico en la educación de los hijos.** La disciplina es necesaria para el desarrollo ar-

mónico de la propia personalidad del niño. Ahora bien, ha de plantearse de acuerdo con las características generales de la edad y con las peculiaridades del niño en cuestión. En general, los métodos aversivos (castigos, severas reprimendas...) conviene vayan desapareciendo conforme la edad del niño lo permite; mientras se mantienen, en cambio, los métodos de refuerzo positivo (premios, aprobación, elogio...) hasta generar la **autodisciplina,** que es *la meta* de la disciplina.

8. **El entorno familiar ofrece el mejor contexto para la educación sexual de los niños.** Un ambiente distendido en la familia, donde se hable de los aspectos sexuales con naturalidad, es el marco ideal para la educación de los hijos en materia sexual. Los niños que aprenden de sus padres los aspectos biológicos, psicológicos y morales, se libran más fácilmente de los prejuicios y tabúes que rodean a la sexualidad.

9. **La familia es un agente muy influyente sobre la capacidad intelectual y el rendimiento escolar.** Los padres y hermanos mayores pueden ejercer una acción altamente positiva sobre los más jóvenes. En un ambiente tranquilo, que disponga de suficientes libros y material didáctico, con la debida atención y con una **actitud mental positiva**, el niño comienza desde el mismo nacimiento a beneficiarse de los factores que sientan las bases del éxito intelectual y escolar. Los padres nunca deberían creer que este asunto es responsabilidad exclusiva de la escuela. De hecho, el aprendizaje infantil depende en gran medida de la actitud y la acción directa de los padres.

10. **La familia es un agente clave para el sano desarrollo del autoconcepto**. Las bases de una autoestima saludable se sientan en el hogar desde los años preescolares. Los padres tienen en su poder un arma de doble filo que, o bien hará de sus hijos sujetos con seguridad personal y razonablemente satisfechos de sí mismos, o por el contrario los hará inseguros, temerosos y convencidos de que el éxito es para otros. Este principio consiste fundamentalmente en el reconocimiento de los logros de sus hijos, el ánimo sincero y alentador hacia sus tareas, la frecuente mención de las cualidades positivas, y el apoyo en la consecución de los objetivos de todo tipo.

11. **Compartir valores espirituales elevados une a la familia y aporta una dimensión enriquecedora**. Las familias que conservan una escala coherente de valores espirituales, son menos propensas a los problemas de convivencia que las que no se detienen a reflexionar sobre los aspectos transcendentes. La espiritualidad ayuda al hombre a salir de sí mismo para ofrecer un servicio a los demás, lo cual constituye un buen paso hacia la armonía y la comprensión mutua en el seno de cualquier comunidad y, por supuesto, también en la familia.

Vale la pena creer firmemente en la familia como *fuente de felicidad y de salud mental* para sus miembros, admitida aquella como unidad básica de la sociedad. Por tanto, al nutrir a la familia estamos nutriendo psicológicamente a sus integrantes y contribuyendo a una sociedad más equilibrada, más justa y más humana.

La comunicación en familia

Todos los días recibimos literalmente **millares de mensajes**. Se trata de algo continuo y abrumador. Los recibimos cada vez que leemos un periódico, vemos la televisión u oímos la radio, contemplamos un anuncio publicitario, observamos la luz del ascensor o del semáforo, escuchamos un timbre, examinamos los precios en un escaparate, seguimos las indicaciones de un letrero...

Aparte de estos ejemplos, existen infinidad de mensajes en los que el ser humano es el protagonista (como emisor y como re-

continúa en la página 18

Cómo funciona la comunicación

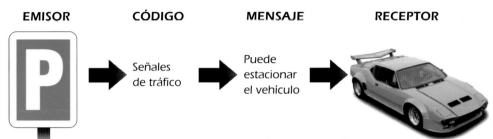

EMISOR	CÓDIGO	MENSAJE	RECEPTOR
P	Señales de tráfico	Puede estacionar el vehículo	

Para que un acto de comunicación resulte eficaz, el emisor y el receptor han de conocer el código utilizado, que es la clave para la correcta interpretación del mensaje.

El proceso de comunicación es tan complejo, y con un número tan alto de variables, que con frecuencia genera resultados diferentes a los deseados.

- El **EMISOR** prepara y emite un **mensaje** utilizando un **código** (hablado, escrito, gestual, simbólico, indiciario…).

- El **RECEPTOR** lo percibe y lo **interpreta** utilizando el mismo código.

- Durante el proceso de comunicación, tanto emisor como receptor, se encuentran en un **estado emocional particular.**

- Además, existe un **ambiente** que facilita o interfiere dicho proceso. Por otra parte, el emisor tiene una **intención** concreta que el receptor puede interpretar de modo muy diferente.

¿Qué piensa un padre cuando su hijo le dice: «Viejo, no me abro porque este rollo me enrolla mucho»? La **interpretación** dependerá del **conocimiento** que el padre tenga del lenguaje juvenil, del **tono** con que su hijo lo diga y del **contexto** en el que se produce la aseveración, entre otras variables.

El mensaje '¡Qué tonto eres!' dicho por una mujer a su esposo, puede significar cosas muy distintas y ser interpretado de diferentes maneras.

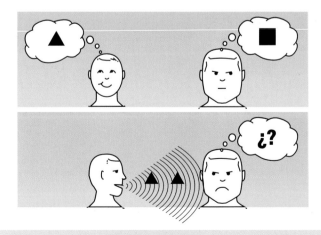

viene de la página 16

ceptor). Se trata de los mensajes interpersonales. He aquí algunos ejemplos: Saludos, sonrisas, apretones de manos, intercambio de palabras en una transacción comercial, forma de vestir, tipo de peinado o, incluso, un ceño fruncido o un bostezo. Todos estos mensajes transmiten una **información** que há de ser interpretada en su contexto.

La comunicación es una actividad extremadamente importante en la experiencia humana. La posesión de una aceptable **aptitud comunicativa** puede ser más relevante que contar con atributos tan fundamentales como una elevada inteligencia o una positiva motivación.

Hay personas que gozan de una inteligencia brillante, pero no se comunican bien y, por tanto, no pueden transmitir sus valiosas ideas. Existen otras cuya motivación las hace ser constantes y estar concentradas en un proyecto; pero como tampoco son capaces de transmitir sus resultados, estos quedan desaprovechados.

Las relaciones familiares y la comunicación

Como todo grupo humano, la familia también es un marco para la comunicación. Cuando las relaciones interpersonales son cordiales y frecuentes, estimulan la fácil y amena comunicación entre sus miembros. Cuando no se oyen gritos, amenazas y burlas, todo es alegría y confianza.

En un **clima** psicológicamente **positivo** se favorece el deseo de intercambiar noticias, confesiones y experiencias, e incluso frases de buen humor. Sin embargo, en una situación tensa, de malas relaciones y de escasa confianza, la comunicación se torna dificultosa y reducida, cargada de agresividad o de mala voluntad; cuando no se la evita o distorsiona por medio de la interpretación errónea o tergiversada de los mensajes.

Las buenas relaciones hogareñas, amenizadas por la comunicación fácil y agradable, confiada y serena, caracterizadas por actitu-

La comunicación es...	La comunicación no es...
diálogo	monólogo (sermón)
mensaje abierto	órdenes
orientación	imposición
estímulo	coacción
información interesante	información trivial
compartir una noticia	mantener reservas
La comunicación mejora si se lleva a cabo con buen humor, con una actitud simpática y con gestos amables.	**La comunicación empeora si se realiza con actitud autoritaria o poco amigable, y en tono áspero.**

La comunicación no es exclusivamente verbal. De continuo recibimos multitud de mensajes que nos llegan a través de gestos, ademanes, señales y símbolos. Tener en cuenta esta dimensión de la comunicación favorece las relaciones familiares positivas y una atención más completa a las necesidades infantiles.

des amigables, matizadas con expresiones afectivas, no solo propician un clima excelente en la vida familiar; también afectan positivamente al **desarrollo psicosomático** de los niños; otorgándoles una personalidad más segura y armónica, así como unas relaciones interpersonales exentas de traumas.

La comunicación familiar positiva

¿En qué consiste la buena comunicación entre los miembros de la familia?

La comunicación familiar no ha de limitarse a las órdenes, instrucciones y noticias; aun cuando muchas veces una conversación cotidiana en el hogar requiere este tipo de mensajes, cuya eficacia depende de las expresiones verbales, los gestos, e incluso el tono de voz.

La comunicación idónea deriva del **diálogo franco, sincero y afable**, donde quien dirige la palabra espera de la otra parte una respuesta adecuada y que denote **receptividad y comprensión;** dicha respuesta podrá suponer la aceptación total o parcial del mensaje recibido, e incluirá posibles opiniones o discrepancias al respecto, además de evidenciar cómo se ha percibido o interpretado lo escuchado, y cómo, en su caso, se está dispuesto a obrar en relación con ello.

Pensando en la educación de nuestros hijos, no solo debemos *mejorar* la **disposición comunicativa** hacia ellos sino también hacia nuestro cónyuge, así como en nuestras relaciones con parientes y amigos; pues los niños aprenden de modo imperceptible y a menudo inconsciente de sus mayores.

En todo caso la comunicación debería ser **persuasiva** y *no impositiva.* Cualquier toma de contacto ha de ser positiva, atrayente y afable, refractaria a la discusión y la polémica. Asimismo es importante desterrar las críticas, las sospechas y las acusaciones para llevar a cabo una comunicación eficaz.

Escuchar es fundamental para que exista comunicación, y así ha de ser aun cuando la otra persona sostenga posiciones diferentes. Es también imprescindible mantener el **dominio propio**, la **objetividad** y la **prudencia**, eliminando toda actitud prepotente, provocativa o agresiva.

Componentes de la comunicación

No todas las comunicaciones son verbales (orales o escritas); a veces basta una sonrisa, un gesto, un apretón de manos, una actitud cortés para comunicar una intención, una opinión, un deseo que encierre un mensaje. Es la llamada **comunicación no verbal**. De hecho, en la inmensa mayoría de las relaciones humanas las palabras constituyen una proporción relativamente pequeña de la comunicación. (Véase el gráfico inferior).

La comunicación familiar cotidiana contiene abundantes mensajes verbales, pero en casos muy numerosos son reemplazados por gestos o actitudes.

Pensemos en un niño que acude a una fiesta de cumpleaños con otros niños y padres. Le gustaría servirse otro chocolate. Como ha estado delicado de salud, antes de hacerlo dirige una mirada a su madre; ella le responde con una sonrisita y una mirada expresiva que él ya conoce. Así comprende que no debe consumir su deseo.

En la sociedad actual, en la conversación diaria, muchos mensajes se expresan con

Componentes de la comunicación

50%
40%
30%
20%
10%

55%: NO VERBAL
- Símbolos
- Gráficos
- Gestos
- Actitudes

38%: MODOS DE EXPRESIÓN
- Modulación de la voz
- Volumen de voz
- Retórica, estilo

7%: VERBAL (PALABRAS)
- Oral
- Escrita

Diez barreras que dificultan la comunicación familiar

1. **Los múltiples compromisos laborales, sociales, lúdicos... y las prisas** de la vida moderna, ponen en tensión constante a los miembros de la familia.

2. **La escasa relación con parientes y vecinos,** que en el pasado se cultivaba con esmero.

3. **Las diferencias temperamentales y las particularidades individuales,** que no siempre son entendidas y aceptadas por los padres o por los hijos.

4. **Las exigencias profesionales** y el excesivo interés en nuestros propios asuntos, tienden a debilitar la afectividad y la ternura en el trato.

5. **Las burlas, las críticas y los comentarios despectivos** dirigidos a los niños en presencia de otras personas, perjudican notablemente la libertad de expresión de los mismos.

6. **Los prejuicios** hacia un miembro de la familia, que pueden llevar a juzgarlo sin haberlo escuchado.

7. **La búsqueda de soluciones rápidas,** sin la paciencia ni la prudencia necesarias para encontrar la mejor.

8. **La importancia desmesurada que se da al yo** frente a las actitudes de servicio y altruismo.

9. **El estancamiento en las propias actitudes,** lo cual dificulta el acercamiento de posturas.

10. **Las actitudes excesivamente paternalistas o dictatoriales** de un miembro de la familia hacia otro.

---

símbolos, gráficos, actitudes e incluso con palabras clave cuyo sentido comprende la gente. Empleamos estos **códigos** cuando tenemos prisa o queremos enfatizar una idea u opinión. Es muy frecuente, por ejemplo, este tipo de comunicación cuando nos encontramos en un país extranjero cuya lengua no dominamos.

En el ambiente familiar, a menudo se usan estos tipos de comunicación codificada. Los niños y jóvenes suelen tener también su propio vocabulario, tanto en casa y en la escuela, como con sus amigos en la calle; a dicho léxico específico añaden signos y expresiones no verbales que únicamente ellos entienden.

La **comunicación no verbal,** sobre todo si se acompaña de modos de expresión verbal muy significativos y fáciles de comprender, resulta **el medio más idóneo** para la conversación hogareña.

Además, no hemos de olvidar que la comunicación diaria requiere afectividad. Cuando las palabras y las actitudes llegan acompañadas de sonrisas y de modos corteses y simpáticos, facilitan y estimulan la confianza, la seguridad y el aprecio.

La atmósfera cordial en el seno del hogar se edifica y consolida merced a momentos agradables, que los pequeños valoran en grado sumo. El contacto, la actitud de diálogo y el buen humor, generan en los hijos la necesaria confianza hacia sus padres.

Lo que dificulta la comunicación familiar

Además de las dificultades comunicativas propias del emisor y del receptor, cada cual con su correspondiente **subjetivismo** y diferencias en sus códigos personales, hay que tener en cuenta a los factores circunstanciales que se presentan como **barreras** u obstáculos para la comunicación.

Cuando estos factores se hallan presentes, la comunicación se torna **muy problemática**. Otras veces se contamina dando lugar a malentendidos y a problemas graves de relación. El cuadro de la página anterior enumera las barreras más comunes en la comunicación.

El arte de dialogar

El diálogo es producto de un **aprendizaje** y de una **experiencia** constante; porque, más que el dominio de una técnica, involucra el desarrollo personal de aptitudes especiales.

La conversación familiar requiere en todo momento **prudencia y paciencia**, así como la evitación consciente del apresuramiento y la ansiedad. No conviene expresar en el marco del diálogo recuerdos negativos del pasado, ni tampoco predecir o decretar resultados futuros de manera concluyente.

La ética y el respeto por las personas implican un **lenguaje claro y comprensible**, no solo en vocabulario sino también en la modulación de la voz.

Y en cuanto al **control personal**, en la conversación no se debe perder el dominio propio, la amabilidad y el buen humor.

En el contexto de la comunicación familiar se producen diferentes tipos de diálogo según las circunstancias y las ocasiones:

- El **diálogo investigador:** Se emplea generalmente con los hijos más pequeños. Su objetivo es averiguar en detalle la información deseada. A veces puede denotar curiosidad o sospecha.

- El **diálogo analítico:** Se realiza con los hijos mayores y pretende arribar a conclusiones compartidas o reflexiones útiles.

- El **diálogo amable** o amigable: Transmite cariño, simpatía y comprensión; es la modalidad de diálogo más frecuente en una familia con buenas relaciones. Generalmente es fluido, cálido y respetuoso, y se desarrolla en un ambiente libre de tensiones y temores.

- El **diálogo duro,** a veces agresivo: Es una técnica negativa que usan algunos padres para culpar o intimidar.

- El **diálogo autocrático:** Es el que pretende ser autoritario. Conlleva la finalidad de imponer algún criterio a los hijos.

- El **diálogo ambiguo:** Es el empleado como relleno en conversaciones intrascendentes, o que busca disimular y no comprometerse.

- El **diálogo orientativo** tiene por finalidad guiar, sostener, estimular o ayudar a superar alguna crisis.

En suma, el diálogo que favorece la buena comunicación es **espontáneo, fluido, sincero**, y se ejerce en un ambiente de plena **confianza y libertad**. El verdadero diálogo no sería posible sin que existiera interés, respeto y participación atenta por parte de unos y otros.

Pero el mensaje puede pervertirse o bloquearse por culpa de la **ligereza** de alguno de sus participantes. Cuando un padre pretende mantener una conversación con su hijo, pero mira el reloj constantemente o está distraído pensando en sus obligaciones, la comunicación se paraliza y se sientan precedentes que pueden dificultarla en el futuro.

Uno de los errores más frecuentes en el marco familiar es tratar de hablar siempre, derramar borbotones de palabras como si fueran chorros de agua incontrolados, apresuradas y exageradas, sin esperar la oportu-

Hacer al niño partícipe de variadas experiencias estimula la amistad padres-hijo y previene actitudes verticalistas (autoritarismo o paternalismo excesivos). Así, el pequeño aprende a mirar en la misma dirección que sus padres, en vez de sentirse obligado a verlos siempre desde abajo.

No solo hable, también escuche

- Hay que escuchar demostrando **interés**, creatividad y dinamismo.

- **Evitar interrumpir** innecesariamente el ritmo de la conversación.

- Es preciso **esperar** a que la otra persona haya terminado completamente su exposición antes de responder.

- **Observar la expresión** facial y gestual de nuestro interlocutor.

- Es necesario **eludir distracciones** o interferencias: hacen perder la concentración en el tema.

- Hay que esforzarse en **comprender** y **ser comprendido** tanto verbalmente como mediante las expresiones no verbales.

- **Ser prudente** en los actos, gestos, comentarios o críticas que puedan ser ofensivas o ridiculizadoras.

- **Propiciar** las **aclaraciones** oportunas y las **preguntas** que confirmen nuestra comprensión e interés.

- Mantener en todo momento una actitud de **disponibilidad** cordial y serena.

- Acompañar la actitud de escucha con gestos de **aprobación** y **simpatía**.

- No despreciar ninguna **oportunidad de diálogo**.

- **No infravalorar** los problemas de los más pequeños de la casa, para ellos son graves e importantes.

---

nidad propicia y sin mostrar una disposición conciliadora.

Como es natural, una actitud así quiebra seriamente la comunicación y trae consigo importantes problemas interpersonales, hasta el punto de que la gente rehuye a esas personas que monopolizan las conversaciones.

La escucha activa

Quizá el **problema más frecuente** en la comunicación sea la falta de una actitud de escucha. Ambos cónyuges, y de manera particular los progenitores varones, deben procurar ejercitarse y esmerarse en desarrollar cualidades para escuchar más y mejor, dispuestos a aprender de sus hijos mediante una **receptividad activa**. De esta manera la comunicación resulta más amena, atrayente, fluida y, sobre todo, provechosa.

Escuchar es *una de las tareas más difíciles* de la vida. Los seres humanos tenemos todos una marcada **tendencia egoísta**, por lo que en el proceso de comunicación nos resulta mucho más fácil centrarnos en nosotros mismos que atender a nuestro interlocutor.

El problema es tan serio que podemos afirmar categóricamente que la comunicación *no existe* **sin la participación del receptor**, es decir, con la exclusiva intervención del emisor. Una antigua alegoría filosófica nos formula la siguiente pregunta: Si en un bosque deshabitado y aislado a cientos de kilómetros de la civilización, estalla una tormenta en medio de la noche, y si uno de sus rayos aniquila un gigantesco árbol, su caída ¿hará o no hará ruido? A decir verdad, nunca podremos demostrar que hubo ruido si nadie estuvo allí para oírlo.

Lo mismo ocurre con la comunicación humana. La tarea de escuchar es tan importante que por muy bien formulado que esté el mensaje no sirve de nada si no hay una actitud de escucha. Y esto resulta especialmente imprescindible en las relaciones familiares.

La actitud correcta es la **escucha profunda y activa**. Pero esto requiere:

* **Concentrarnos en escuchar al otro** (cónyuge o hijo), interpretando adecuadamente sus palabras, con los mensajes de sentimientos y anhelos que puede haber tras ellas.

* **Abstenernos de opinar inmediatamente** sobre el asunto.

* Ofrecer con nuestra actitud verbal y no verbal la **seguridad de que aceptamos a quien nos habla**, a pesar de los problemas o desavenencias que surjan.

* Prestar **atención a los mensajes no verbales**, especialmente del rostro.

* **Evitar dejarnos llevar por el instinto de réplica**, que consiste en concentrar la atención en la respuesta que vamos a dar, en vez de fijarla en nuestro interlocutor.

El cuadro de la página anterior detalla una serie de recomendaciones generales para desarrollar la habilidad de escuchar.

Participación y comunicación

Otro de los grandes obstáculos de la comunicación familiar, con la pareja o los hijos, es el **verticalismo**. Ciertas personas (especialmente, padres varones) se creen con el derecho de decir lo que les parece porque se consideran en una posición encumbrada.

Cuando estas personas entran en comunicación con otros, no propician un diálogo sino más bien una orden o una imposición disimulada. Es frecuente que un padre diga a sus hijos de diez o doce años: «Cuando yo tenía vuestra edad nadie me ganaba...» O quizás: «Yo prefería trabajar y ganarme los estudios en vez de jugar... » Estos padres se jactan de su conducta y rendimiento, y reiteradamente se erigen en modelos y en centro de atención.

La mejor manera de motivar la conversación y estimular el diálogo productivo es **abrir las puertas a la participación**, facilitando y enriqueciendo la comunicación con las opiniones y las experiencias de los hijos. De este modo la conversación se torna entusiasta, alternada y compartida. Pero esto no siempre ocurre de manera natural.

Si tenemos en cuenta ciertas recomendaciones (ver cuadro de la página siguiente), la participación será más fácil y eficaz, y producirá un nivel óptimo de comunicación.

El divorcio y los hijos

Lo normal es que una familia que goza de un buen grado de comunicación y participación entre todos sus miembros –particularmente los cónyuges–, se mantenga unida. Pero si falla la comunicación y la participación en la pareja, las consecuencias pueden ser desastrosas para la vida conyugal y familiar.

Esta y otras razones, de hecho, pueden dar lugar a un estado de **"divorcio emocional"**, denominación empleada por los profesores de pediatría y psiquiatría Milton J. E. Senn y Albert J. Solnit para referirse a la situación matrimonial en la que se manifiestan serias diferencias entre los dos miembros de la pareja, que hacen pensar en una incompatibilidad de caracteres y en la imposibilidad de mantener una convivencia armónica.

El divorcio emocional no siempre desencadena el divorcio legal, pero lo normal es que si este último llega a consumarse, venga precedido por aquel. El **impacto psicológico sobre los hijos** se manifiesta ya en la citada fase emocional de la separación.

Características de una buena participación en el arte de comunicarse

1. Se presenta de modo **espontáneo** y nunca forzado.

2. Se desarrolla en términos **amigables** y actitudes **respetuosas**.

3. Tiene lugar en un ambiente de **libertad** y sin tensiones.

4. **No** va acompañada de **condiciones desfavorables** o coactivas.

5. **Nunca** es el producto de la **manipulación** o de engaños sutiles.

6. Promueve un tipo de **comunicación libre, creativa, diferente**; aunque a veces pueda resultar conflictiva.

7. Se encuentra **abierta** a todos los miembros de la familia, incluidos los más pequeños.

8. Favorece el **diálogo**, lo cual elimina complejos e inhibiciones y aumenta la **autoestima** y la autonomía de los más jóvenes.

9. Implica una **relación afectiva positiva** (expresiones suaves y corteses, actitud de escucha activa...).

10. A su término, las partes implicadas tienen algo más **en común** que al principio, y se sienten más **unidas**.

La frialdad entre los padres, sus reproches, enfrentamientos y altercados, si se hacen habituales, dejan en los pequeños una huella que puede resultar **traumática**.

Cuando la situación de ruptura resulta evidente, y uno o ambos miembros de la pareja buscan compañeros alternativos, el divorcio legal puede ser la mejor salida. En tales casos, lejos de constituir un trauma para los hijos, puede contribuir a prevenirlo.

Sobre todo cuando uno de los cónyuges es el principal causante de una vida familiar trastornada, que afecta tanto al otro cónyuge como a sus hijos, la solución de la separación puede proveer inmenso alivio. Por eso, no debiera extrañar que incluso un psiquiatra conservador, como el doctor **Juan Antonio Vallejo-Nágera**, afirme: «No todos los niños salen perdiendo con el divorcio. Si uno de los progenitores es muy per-

turbador, por anormal o por malvado, se vive la desaparición del hogar como una esperanza de paz.»

Para atenuar el impacto negativo del divorcio sobre los hijos, es imprescindible cerrar cuanto antes la situación de enfrentamiento y asumir la separación con todos los **aspectos prácticos** que conlleva:

- **Legales:** Asuntos financieros y pensión alimenticia, reparto del cuidado de los hijos, custodia legal, etcétera.

- **Afectivos:** Mantenimiento de relación respetuosa y cortés, aunque distante; así como la debida consideración hacia los sentimientos de la otra parte.

- **Psicológicos:** Aceptación de la nueva situación y las perspectivas que de ella se derivan, preparándose cada cónyuge para la realidad de una vida nueva, en solitario o en compañía de otra pareja, y con una

continúa en la página 28

Los abuelos, historia viva de la familia

El núcleo familiar está formado por el padre la madre y los hijos, pero existen otros familiares, entrañables y encantadores, que pueden aportar experiencia y enriquecer los lazos y la comunicación familiar: los abuelos.

Si bien es cierto que las abuelas y los abuelos de hoy son más activos, más dinámicos y más viajeros que los de antaño, siguen disponiendo de un bagaje histórico-familiar inapreciable; pues aún constituyen las raíces de la familia. Esto es muy valioso para el niño, ya que conocer sus orígenes es fundamental para afianzar su **identidad**.

Los abuelos no solo cuentan "batallitas" de sus tiempos jóvenes y anécdotas de cuando mamá y papá eran pequeños; también transmiten valores. No olvidemos que los padres fueron educados por ellos. Si los padres son los modelos básicos de conducta para los niños, los abuelos son el complemento idóneo.

Permitir que los abuelos contribuyan a la educación del niño es saludable para todos: los abuelos se sienten útiles; los padres, más tranquilos; y los niños, más felices. Por otro lado, al fomentar la atención y el amor hacia los abuelos, los niños interiorizan una actitud de **respeto hacia los mayores** que, en una sociedad productivista como la actual, que tiende a arrinconar a los ancianos, supone un valor

esencial. Por ello, su venerable presencia en el hogar puede resultar benéfica para todos. En el caso de parejas divorciadas o separadas con hijos, es conveniente que estos puedan mantener el contacto con sus abuelos; el divorcio es entre los dos progenitores, no entre abuelos y nietos.

Para que la relación entre abuelos, padres e hijos fluya con naturalidad y sea fuente de alegrías, indicamos los siguientes consejos:

Para los padres

- **No enojarse** si los abuelos conceden **más caprichos;** los niños saben distinguir.
- **Delimitar** sus funciones.
- **Escuchar y respetar** sus opiniones y consejos.
- **Ser agradecidos** y valorar su esfuerzo.
- Dar a los niños una **imagen positiva** de los abuelos y de la función que estos desempeñan.

Para los abuelos

- **Respetar los criterios de los hijos** aunque difieran de los propios.
- Poner **límites a los nietos** para que no se conviertan en niños malcriados.
- **No criticar a los padres** delante de los niños.
- **Transmitir** sus vivencias, sus valores y su amor.

viene de la página 26

relación con sus hijos inevitablemente modificada en algún sentido (tiempo, necesidades afectivas de los niños, apoyo del cónyuge en su educación...).

Los dos últimos aspectos mencionados –afectivos y psicológicos– suponen, en suma, la pertinencia de superar los elementos más **dramáticos** del divorcio emocional, que usualmente se prolonga una vez consumada la separación y el divorcio legal.

De una correcta asunción de esta nueva realidad depende la posibilidad de minimizar el daño sufrido por los pequeños, quienes por lo común no son responsables de la ruptura, y por tanto bajo ningún concepto deberían sufrir sus consecuencias.

La reacción de los hijos

El divorcio siempre afecta negativamente a los hijos. Los hay que parecen no mostrar reacción alguna ante la crisis, lo que puede llevar a pensar que no les afecta. Pero en la práctica, esto puede ser un mecanismo psicológico de **autodefensa**, consistente en negar la realidad debido a lo difícil que les resulta asumirla.

La **edad** es un factor relevante en relación con las repercusiones del divorcio en los niños. Los hijos en edad **preescolar** no suelen comprender lo que pasa, pese a lo cual manifiestan ciertos síntomas, como una mayor irritabilidad y sentimiento de culpa. De algún modo intuyen lo que sucede; por lo que no es extraño que, instintivamente, propendan a apegarse todavía más a sus padres.

Los hijos en **edad escolar** son mucho más conscientes de la situación, la cual los hace proclives a experimentar estados depresivos, tendencia al aislamiento, angustia, disminución del rendimiento escolar...; pero también ocasionalmente manifiestan un afán ilusorio de buscar al progenitor que ya no está, o incluso pueden sentir la tentación de cometer actos antisociales como mecanismo de compensación psicológica.

A fin de suavizar la **transición** hacia la nueva situación, es conveniente hablar con el hijo y, teniendo en cuenta su edad, explicarle que la separación de sus padres no responde a nada que él haya hecho. En otras palabras, que él **no tiene la culpa**. Si esto se hace con seria y cálida convicción, y se añade que la nueva realidad no implicará para el hijo **ninguna pérdida de afecto** ni paterno ni materno, se contribuirá a serenar el ánimo infantil y a que conserve un mínimo de seguridad emocional.

Lo anterior es algo que debiera hacerse ya *antes*, incluso, de la separación efectiva, cuando se manifiestan los síntomas del divorcio emocional. La situación, que generalmente se prolonga en el tiempo, requiere una especial delicadeza que la frágil sensibilidad de los niños siempre agradecerá.

El *"Consejo del psicólogo"* de la página contigua aporta consejos adicionales.

Conclusiones

- El bienestar y la felicidad de la familia dependen en alto grado del clima de **confianza**, de **amistad** y de **aprecio** mutuo.

- Las comunicaciones fluidas, plenas de motivaciones y emotividad, son el resultado de **conversaciones placenteras y llenas de calma**; estas a su vez se nutren de diálogos espontáneos y francos.

- El **tono de voz apacible y pausado** produce efectos benefactores, a diferencia de los gritos y enfrentamientos, que usualmente están de más.

- Y por último, no olvide que la amable conversación y el ambiente espiritual contribuyen a este estado satisfactorio de las relaciones familiares, pues donde se alzan el **amor**, la **paciencia** y el **perdón**, es posible limar las asperezas que los pequeños conflictos pueden suscitar.

Si, con todo, la relación familiar se resiente y llega, incluso, la **ruptura** entre los cónyuges, recuérdese que los **hijos pequeños,** por su especial **fragilidad,** deben ser tenidos en cuenta de forma especial.

"No hemos podido arreglar nuestra relación"

En los últimos meses, he luchado por evitar la separación de mi marido, pensando en mis dos hijos de 6 y 9 años. Pero no ha sido posible y el divorcio es inminente. ¿Qué puedo hacer para que los niños sufran el menor daño posible?

Es lógica su inquietud respecto a sus hijos. Ha de ser **muy cuidadosa** durante **los dos años siguientes** a la separación, sobre todo el primero: es entonces cuando los pequeños son más vulnerables.

Varios estudios muestran la frecuente **sensación de culpa** que los niños experimentan ante la ruptura conyugal. Asegúreles que ellos no son responsables de los conflictos entre usted y su esposo. No tenga inconveniente en repetírselo cuantas veces sea necesario.

También es común que los niños sufran este cambio sintiéndose inseguros, temerosos, tristes, irritables... Incluso pueden llegar a experimentar **síntomas psicosomáticos,** como irritaciones en la piel, falta de apetito, insomnio o debilidad física general. Para superar esta crisis con el mínimo riesgo, intente observar los siguientes consejos:

1. **Dedíqueles todo el tiempo que pueda y con la mejor calidad de interacción**. Es posible que ahora tenga usted menos tiempo (por razones de trabajo, quizás) y más cansancio, pero recuerde que sus hijos necesitan ahora su apoyo más que nunca.

2. **Busque ayuda moral y práctica** a través de otras personas (familia, amistades...) u organizaciones (iglesia, servicios sociales...). También usted necesita apoyo.

3. Aunque tenga motivos para hacerlo, **no incite a sus hijos a ponerse de su parte** en el conflicto con su marido. Evite hablar mal de él. Conserve una postura sin odios, rencores y recuerdos negativos hacia él. Es la actitud más segura para la salud mental de sus hijos y la suya propia.

4. **Coopere para que los niños vean a su padre con regularidad**. En la mayoría de los casos es un imperativo legal, pero es también sano para el desarrollo emocional de los niños. La **figura masculina** se considera **vital en el desarrollo** psicológico de niños y niñas. Es más, si el padre no quisiera saber nada de ellos, usted debería buscar la compañía de figuras masculinas adultas en la vida de sus hijos (por ejemplo, un tío o el abuelo).

5. Por último, uno de los riesgos más notables en estos casos es el **fracaso escolar.** Para evitarlo, **hable regularmente con su profesor o profesora** y manifieste su preocupación. Ofrézcase a colaborar en la tarea educativa. Así la actitud del docente será mucho más positiva en favor de su hijo.

"Tendrá celos de su hermano"

Nuestro hijo de 3 años nunca nos ha dado problemas. Siempre tranquilo, obediente, simpático y de buen humor. La verdad es que estoy muy orgullosa de él. Ahora estoy embarazada y me han dicho que tendrá celos de su hermano y que todo lo bueno que tiene nuestro hijo desaparecerá por este motivo. Tengo miedo de que eso sea verdad. ¿Hay algo que podamos hacer para evitarlo?

La llegada del segundo hijo no puede ser tan traumática como le han dicho a usted; si así fuese, todos los hermanos mayores del mundo serían malvados, lo cual es evidentemente falso.

Por otra parte, su preocupación previa al advenimiento del segundo niño es muy positiva, porque desde ahora puede efectuar los preparativos para **prevenir** cualquier posible trauma de adaptación que su hijo mayor tenga que afrontar. Considere las siguientes sugerencias:

1. **Comience a hablar a su niño del bebé que usted lleva dentro** y de cómo, cuando nazca, toda la familia tendrá que cuidarlo con esmero. Cuando los bebés nacen, son tan indefensos que no podrían sobrevivir por sí solos...; por ello, necesitan del cuidado de padres y hermanos. **Céntrese en lo positivo** del acontecimiento ("el niño jugará contigo", "tú serás el mayor") y no en lo negativo ("tendremos que dedicarte menos tiempo a ti").

2. Al hacer los preparativos, es natural pensar en utilizar la cuna, el carrito, la sillita, etcétera, del primogénito. No permita que su hijo mayor los utilice hasta el último momento; **retírelos con antelación** y guárdelos bien, si no lo ha hecho ya. Esto ayudará a su hijo a olvidarse de esas cosas como "suyas" y a ver con simpatía que su hermanito las utilice porque él ya es mayor.

3. Si piensa en llevar al mayor a la **guardería**, comience a hacerlo antes del nacimiento del bebé, aunque sea esporádicamente o solo dos o tres horas por día. Si espera a que el bebé nazca para hacerlo, su hijo mayor puede creer que lo llevan a la guardería (jardín de infancia) porque quieren "echarlo" de la casa.

4. Cuando haya nacido el pequeñín, usted y su esposo deben hacer todos los esfuerzos posibles por **continuar una relación personal con el mayor**. Continúen jugando con él, leyéndole sus historias favoritas, sacándolo a jugar, etcétera.

5. **Aprovechen toda oportunidad para que su hijo mayor se considere útil**, especialmente en relación con su hermanito. No hay que olvidar que los celos están directamente relacionados con la **inseguridad personal**. Por tanto, invítenlo a que colabore en todo lo que tiene que ver con la limpieza y alimentación del bebé, aun

cuando a veces eso les vaya a suponer a ustedes una cierta molestia.

6. **Atiendan cuidadosamente las necesidades afectivas del hijo mayor.** Ante la presencia del pequeño, es muy posible que el mayor muestre una mayor dependencia afectiva de usted y de su marido, queriendo que lo tomen en brazos, que lo besen y lo abracen más de lo habitual. Deben atenderse estas demandas con cariño y paciencia, porque le ofrecen la seguridad de que él sigue siendo muy importante para sus padres.

7. Por último, considere que, a pesar de su labor preventiva, el niño tendrá que **adaptarse** a la presencia de su hermanito. Es, por tanto, realista esperar algunas rabietas más de lo normal y algunos **comportamientos regresivos,** como volver a gatear o hablar como un bebé.

Son diversas formas de llamar la atención con el propósito de recuperar la exclusiva de hijo único. Todo ello debe considerarse normal y casi siempre **desaparece de forma natural** si no se le hace demasiado caso.

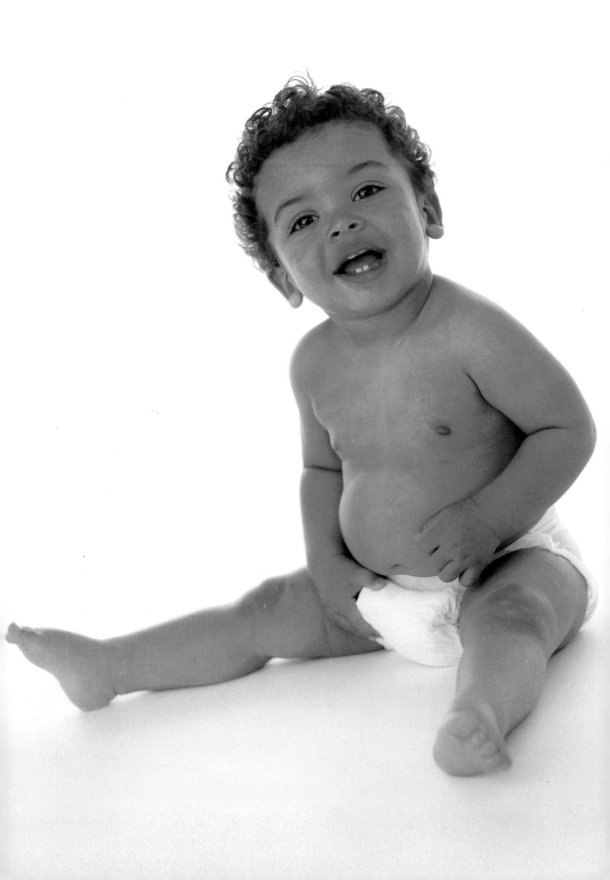

Los dos primeros años

2

A LOS POCOS días de su nacimiento, la vida de Carmen consistía en dormir más de veinte horas diarias, llorar cuando tenía hambre u otra necesidad, y comer y evacuar con frecuencia. Su repertorio de habilidades se limitaba a asirse fuertemente al dedo de un adulto, mover brazos y piernas sin mucho control, y succionar o mostrar una sonrisa refleja de vez en cuando.

Ahora Carmen va a cumplir su primer año ¡Qué diferencia si la comparamos con esos primeros días de vida! A esta edad muestra un rostro expresivo y lleno de matices que denotan una gran riqueza interior. Reconoce a las personas de la familia, sonríe por razones específicas, se sienta sin ayuda, está a punto de dar los primeros pasos, comprende muchas palabras y sonidos, manipula fácilmente el biberón mientras se alimenta ella sola, e incluso a veces dice "pa-pa" o "ma-ma".

Don de Dios son los hijos.
LIBRO DE LOS SALMOS

El olor de los niños viene del paraíso.
PROVERBIO ÁRABE

El mundo solo se mantiene por el aliento de los niños.
EL TALMUD

Menús infantiles

Para las necesidades diarias de nutrientes para niños, remitimos al lector a la obra de Editorial Safeliz, 'Enciclopedia de los alimentos y su poder curativo', t. 2, pág. 18, donde aparece la cantidad diaria recomendada (CDR) según datos de la Academia Nacional de Ciencias de los Estados Unidos.

Modelo de menú infantil 12 a 18 meses

Desayuno
- zumo de naranja
- una cucharadita de polen
- papilla de cereales con leche

Almuerzo (comida del mediodía)
- zumo de tomate
- puré de verduras
- medio huevo duro (hervido) triturado
- una cucharada de germen de trigo

Merienda
- un yogur con miel
- dos galletas

Cena
- papilla de tapioca
- compota de manzana

Modelo de menú infantil 18 a 30 meses

Desayuno
- pudín de frutas
- un vaso de leche
- copos de cereales no azucarados

Almuerzo (comida del mediodía)
- ensalada variada
- crema de legumbres
- queso fresco
- una cucharada de germen de trigo

Merienda
- fruta del tiempo
- un yogur con miel de caña

Cena
- verdura hervida
- requesón

Para más información sobre alimentación infantil, sugerimos consultar la *Enciclopedia salud y educación para la familia* y la citada *Enciclopedia de los alimentos y su poder curativo*, obras ambas de Editorial Safeliz.

Como todos los pequeños de esta edad, Carmen ha experimentado durante el primer año de su vida una serie de transformaciones que la han convertido en un ser complejo y polifacético.

Un desarrollo físico colosal

A los cinco meses, el lactante logra duplicar el **peso** que tenía al nacer. Al cumplir el primer año, el peso inicial se habrá triplicado y doce meses más tarde, cuando cumpla los dos años, contará con el peso inicial multiplicado por cuatro.

La **altura** también varía considerablemente. El niño crece al menos 25 centímetros durante el primer año, y alcanzará un total de unos 90 al cumplir los dos años.

El **primer diente** no aparece hasta los 6 u 8 meses; sin embargo, a la edad de dos años y medio, el niño ya tiene 20 piezas dentarias.

El desarrollo de la masa corporal es, por tanto, muy acelerado. Sin duda, el de mayor intensidad de toda la vida extrauterina. El crecimiento cuenta con un **componente hereditario** que lo controla y facilita.

¿Niña o niño? Salvo por los caracteres primarios –que la fotografía no nos muestra– no es posible determinar a simple vista el sexo de un bebé. Sin embargo, la edad no nos resulta tan difícil: Su evidente coordinación motriz, su tamaño aparente y su capacidad expresiva denotan que ya ronda su primer cumpleaños, en el camino al cual ha experimentado un notable desarrollo físico e intelectual.

A pesar de todo, otros **factores externos** favorecen directamente un desarrollo armónico del niño. Por ejemplo, una **dieta** adecuada a sus necesidades (véase el cuadro de la página anterior), una buena **relación afectiva**, un **entorno** limpio y agradable.

El alcance del desarrollo intelectual

Pero este crecimiento cuantitativo se acompaña además de un fuerte **desarrollo cualitativo** o, en otras palabras, de las destrezas y aptitudes.

En efecto, durante los primeros dos años, el desarrollo **neurólogico** y, consecuentemente, **intelectual** y **motor**, es enorme. Entre los 7 y los 9 meses de edad el cerebelo se activa decisivamente. Se conectan las terminales nerviosas con la parte superior del sistema nervioso: el córtex o corteza cerebral. El cerebelo desempeña un papel importante en las funciones más especializadas del intelecto, tales como el **aprendizaje**, la **memoria**, el **pensamiento** y el **lenguaje**.

De esta forma, aparecen una serie de competencias propias del ser humano, que pronto alcanzarán un alto nivel de desarrollo. Al final del primer año, la corteza cerebral ejerce una función predominante en la conducta del niño, y al final del segundo año el desarrollo cortical alcanza su plenitud, con la excepción de algunas áreas que aún seguirán madurando hasta la adolescencia.

Resulta, pues, evidente que casi toda la **maduración encefálica** (ver cuadro de la página siguiente) ocurre durante la *etapa prenatal* y la *primera infancia* (primeros dos años de vida extrauterina). Esto no significa que el niño de dos años no requiera un desarrollo intelectual adicional. Simplemente indica que, desde el punto de vista neurológico, el ser humano está equipado, desde muy temprano, con lo necesario para emprender un largo camino de ejercitación de sus facultades intelectivas.

Comparado con las restantes fases de la existencia humana, el crecimiento encefálico es en estos primeros meses de vida *más acelerado* que nunca después.

Con este avance neurológico tan intenso, el niño está capacitado para absorber mucha más **estimulación externa** que en otras etapas de la vida. Dado que los sentidos son los medios fundamentales de ayuda al desarrollo intelectual, resulta altamente recomendable todo tipo de estimulación sensorial: objetos, colores, juguetes, soni-

continúa en la página 37

El crecimiento craneal en los primeros meses

El cerebro comienza su desarrollo muy temprano en la existencia del ser humano. Este crecimiento precoz permite dirigir otras funciones esenciales para el nuestra existencia. Pero estos cambios indican, sobre todo, que los primeros dos años de nuestra vida son cruciales en el desarrollo biológico, intelectivo, y emotivo.

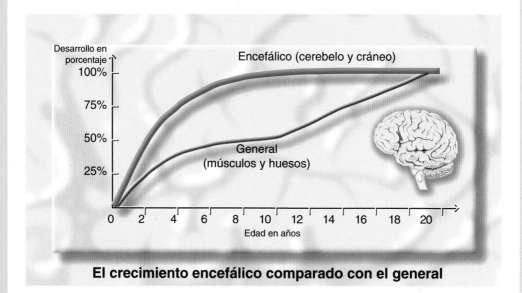

El crecimiento encefálico comparado con el general

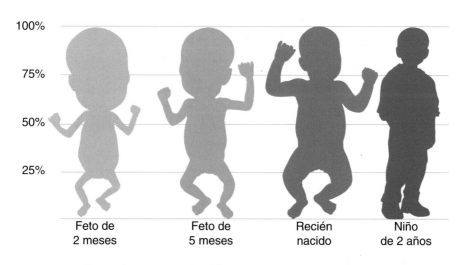

La cabeza en relación con la masa corporal total

viene de la página 35

dos, y experiencias en general con las cuales el pequeño pueda interactuar con el fin de establecer **conexiones cerebrales** apropiadas.

Piaget y su teoría del desarrollo cognitivo

A través de numerosas observaciones y entrevistas, el gran psicólogo infantil **Jean Piaget,** cuya semblanza biográfica aparece en la página 40, creó su teoría del desarrollo cognitivo.

Los niños pequeños pasan por una serie de **etapas** en su desarrollo mental que, a pesar de variar considerablemente de unos a otros, ofrecen una uniformidad general. Piaget describió estas etapas o estadios desde el nacimiento hasta el final de la adolescencia.

Nos centraremos ahora en la *primera etapa* que él mismo denominó '**desarrollo sensomotor**' y que abarca los 24 meses que siguen al nacimiento.

La tabla de las páginas siguientes muestra las características de este periodo en cada uno de los correspondientes subestadios, con ejemplos y estrategias a seguir para facilitar el desarrollo. Los **padres y educadores** que son *conscientes* de estos **cambios** pueden hacer **planes** para interactuar con sus hijos o alumnos de una manera adecuada a la **edad y necesidades intelectuales** de los mismos.

Cómo aprende el bebé

Aunque es algo muy complejo, que consta de muchos aspectos y variantes, podemos distinguir varios mecanismos que permiten y caracterizan el aprendizaje. Veámoslos.

1. La adaptación. Una gran parte del aprendizaje ocurre por medio de ella. En virtud de este proceso, cuando el bebé se enfrenta a un nuevo problema o actividad, hace uso de esquemas o **patrones de conducta** previos para resolverlo.

Así, por ejemplo, cuando a un niño de diez meses se le da por primera vez una galleta, recurre a la succión para comérsela. Este no es un procedimiento que garantice un resultado plenamente satisfactorio. Sin embargo, está dando el *primer paso* de la adaptación, que se denomina **asimilación**, es decir, el niño usa el método antiguo (chupar o succionar) para resolver un problema nuevo.

Después de varios intentos, descubre que si muerde un trocito de galleta con los únicos cuatro o seis dientes que tiene y la disuelve en la boca, todo será mucho más fácil. Este es el *segundo paso,* denominado **acomodación**. Acaba de descubrir un método mejor y lo está perfeccionando.

Después de un poco de práctica, no tendrá ningún problema a la hora de comer galletas debidamente. Así que *finalmente* habrá alcanzado el **equilibrio**.

Los padres disponen aquí de grandes oportunidades de colaborar en el desarrollo de sus hijos pequeños. Se trataría simplemente de facilitar objetos inofensivos para que el bebé los manipule e interactúe con ellos. Estos no tienen por qué ser costosos o diseñados expresamente para este propósito.

Conocimos a una joven madre de una niñita de un año que ponía en manos de su hija los **utensilios de plástico** de la cocina (contenedores de varios tamaños, vasos, tazas, etc.), eliminando cualquiera que fuese punzante o cortante. La niña pasaba largas horas entretenida, y desarrollándose intelectualmente, jugando con dichos utensilios.

La presencia ocasional del padre o de la madre en estas actividades las hace más estimulantes, y el bebé se siente más **motivado** a explorar por sí mismo.

Pero el aprendizaje no es solo adaptación. Existen otras formas de aprender.

2. La imitación. Desde muy pequeños, los niños observan y copian indiscriminadamente el comportamiento de otros niños y adultos. Algunos investigadores han consta-

continúa en la página 39

Los estadios del desarrollo sensomotor
según J. Piaget

Edad (en meses)	Estadios	Características	Ejemplos de conductas	¿Cómo apoyar el desarrollo?
1	Uso de reflejos	Periodo de **supervivencia y adaptación.**	Succión. Reacciones simples de defensa.	Alimento, descanso y contacto físico.
1-4	Reacciones circulares primarias	Esfuerzo activo por **repetir una experiencia** que descubrió por casualidad (la repetición solo proporciona placer, no hay propósito en ella).	Casualmente pone el dedo en la boca y lo succiona. A partir de ahora lo repite, encontrando la actividad cada vez más fácil.	Ofrecer al bebé sonajeros y otros objetos sonoros y de colores.
4-8	Reacciones circulares secundarias	Comienzo de la **actuación intencional.**	Encuentra un sonajero, lo toma, sacude la mano, escucha el ruido. A partir de ahora lo sacudirá con la intención de producir ruido.	Más variedad de objetos de colores y sonoros, alternándolos.
8-12	Coordinación y aplicación de esquemas secundarios	Solución de **problemas simples.**	La madre ofrece un bolígrafo al bebé, quien lo toma con una mano y con la otra intentando apartar la mano de la madre.	Interacción con adultos y uso de juguetes desmontables (2-3 piezas).

Edad (en meses)	Estadios	Características	Ejemplos de conductas	¿Cómo apoyar el desarrollo?
12-24	Reacciones circulares terciarias	Ejecución de **conductas diferentes a las anteriores:** aplicación de nuevas soluciones ante nuevos problemas.	El bebé ha intentado muchas veces partir una galleta estirando (como si separara el bolígrafo de su capucha) pero modifica el patrón haciendo palanca con el pulgar.	Cubos apilables, figuras plásticas, aros concéntricos, etcétera.
24	Nuevos significados por medio de combinaciones mentales	Se alcanza el **principio de la permanencia de los objetos** (facilita al niño imaginarse objetos y personas aunque no estén presentes).	El niño puede buscar un juguete que se encuentra totalmente oculto porque recuerda que unas horas antes alguien lo puso allí.	Juegos de búsqueda de juguetes o de personas.

viene de la página 37

tado que los bebés de dos semanas pueden imitar gestos faciales (por ejemplo, sacar la lengua). Si bien es cierto que esta facultad tiende a desaparecer, vuelve con fuerza a los 8 o 9 meses. A partir de ahí, el pequeño que no ha comenzado ni siquiera a caminar se llevará el peine a la cabeza, la cuchara a la boca, o el cortauñas cerca del dedito, tratando así de imitar los usos familiares.

Este tipo de aprendizaje tiene mucho valor a la hora de transmitir **buenos hábitos**. Por eso, tanto las madres como los padres, deben plantearse si existen conductas en su rutina que no desearían que sus hijos copiasen.

3. Los refuerzos o recompensas. Cuando el niño realiza una acción que trae consigo alguna forma de **recompensa,** tenderá a **repetirla.**

Es frecuente observar cómo los pequeños de tan solo 4 o 5 meses muestran expresiones faciales graciosas, arrugando la nariz o efectuando algún gesto extraño. El adulto se ríe, **reforzando** así **la conducta.** En lo sucesivo, y sobre todo si se continúa con el refuerzo, el bebé ofrecerá esos gestos con frecuencia, quizá durante semanas.

Los padres, por medio de este mecanismo, cuentan con un medio muy poderoso para que los niños aprendan cosas nuevas. **Recompensar** a los niños con palabras de aprobación y manifestaciones afectivas cuando hacen lo que es debido, puede resultar muy útil a fin de que desarrollen **facultades fundamentales**, como andar, hablar, o controlar los esfínteres.

El adulto y el aprendizaje del niño

Graciela, una joven madre de un niño de 6 meses, razonaba de esta manera: «Yo cuido muy bien de que mi hijo tenga una alimentación completa y equilibrada, un

continúa en la página 41

Jean Piaget
el psicólogo infantil más grande de todos los tiempos

Nació el 9 de agosto de 1896 en Neuchâtel (Suiza). En su juventud, sus intereses intelectuales se centraron en la biología y la filosofía, ciencias acerca de las cuales leyó y escribió profusamente.

Un niño precoz

Ya a los 10 años tenía escrito un artículo sobre una rara especie de ave que él mismo había descubierto. Este trabajo suyo fue publicado en una revista de ciencias naturales, con tanto éxito que los responsables del Museo de Historia Natural de Ginebra le ofrecieron un empleo. Naturalmente, cuando se enteraron de que Piaget era un niño, no le dieron el puesto.

Adolescencia y juventud

En su adolescencia, estudió **biología** en la Universidad de Neuchâtel (Suiza), al mismo tiempo que leía ávidamente todo lo disponible en el campo de la **filosofía**.

En 1918, con 22 años, terminó su tesis doctoral en **zoología**. A continuación adquirió experiencia en **psicología** a través del trabajo que desempeñó en una clínica psiquiátrica de Zúrich bajo la dirección de **Eugen Bleuler**, quien a su vez ejercería una importante influencia en la formación de **Sigmund Freud**. También trabajó en la docencia y la investigación en la Universidad de Zúrich junto a **Alfred Binet**, el creador del primer test de inteligencia.

Un hábil e inteligente observador

Su interés por la psicología fue creciendo, y sus inquietudes intelectuales e investigaciones se dirigieron hacia esta disciplina. A través de la entrevista y la observación, llegó a establecer su teoría sobre el **desarrollo cognitivo** (ver pág. 37), que ha servido de base a innumerables investigaciones.

Hasta el momento de su muerte en 1980, publicó libros a razón de uno cada dos años, aparte de numerosos informes científicos y artículos especializados.

Probablemente, pasará a la historia de la psicología como la figura más grande de todos los tiempos en el campo de la **psicología infantil.**

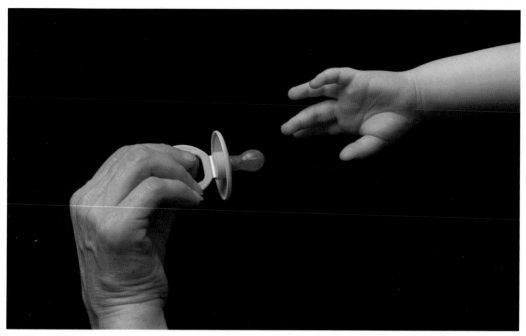

Para el bebé, la mera presencia de su padre o madre no basta. La activa disposición hacia él, por medio de palabras cariñosas, contacto físico y juegos sencillos, estimulará su aprendizaje y favorecerá su sociabilidad y seguridad afectiva. Además, por si esto fuera poco, le hará pasar ratos divertidos.

viene de la página 39

sueño apacible y los cuidados médicos necesarios. En cuanto a lo demás, es tan pequeño que no entiende lo que le digo... Cuando se haga mayor, entonces se hallará preparado para aprender, sobre todo cuando empiece a ir a la escuela...»

Graciela cumplía una parte de su obligación como madre, pero no le daba la importancia debida a otra igual de relevante. El niño pequeño, desde los primeros meses, tiene el deseo de aprender, de que le hablen (aunque parezca no entender), de escuchar canciones, de jugar con los adultos y de establecer contacto directo con todo tipo de objetos.

Después de un estudio de diez años de duración patrocinado por la Universidad de Harvard y dirigido por el doctor Burton White, que llevó a cabo un equipo de dieciséis investigadores, se obtuvieron resultados (véase el cuadro de la página siguiente) que ponen de manifiesto la **influencia de los padres** sobre el desarrollo intelectual temprano de sus hijos.

¿Qué hacer, pues, para favorecer el desarrollo intelectual de los pequeños?

Por supuesto, la sola presencia física de la madre o el padre con el bebé no garantiza una influencia positiva. Es necesario mostrar una **disposición activa.** Lo más importante quizá sea el **lenguaje** vivo y abundante (que tratamos en el próximo apartado), las muestras de **cariño** (besos, abrazos, caricias) y el **juego** interactivo.

El desarrollo del lenguaje

Todos los niños del mundo, cualquiera que sea su lengua materna, siguen unos pa-

Edad temprana e inteligencia

Según las conclusiones del doctor Burton White y su equipo de investigadores de la Universidad de Harvard (EE.UU.) –relativas a la relación entre edad temprana e inteligencia–, cada vez resulta más evidente que el **origen del desarrollo de las aptitudes** humanas se encuentra en el decisivo periodo comprendido entre los **8** y los **18 meses** de edad.

Las experiencias de los niños en este breve lapso de su existencia tienen más peso en la dotación intelectual que cualquier otro periodo anterior o posterior.

El **factor ambiental** más importante en la vida del lactante es la **madre**. Ella ejerce mayor y más decisiva influencia que ninguna otra persona o circunstancia en la experiencia infantil.

El **lenguaje vivo** dirigido al niño es fundamental para su desarrollo no solamente lingüístico, sino también intelectual y social.

Los bebés con **acceso libre** a todas las partes de la casa progresan más rápidamente que aquellos a quienes se los restringe a una zona reducida.

El contexto familiar es el marco de progreso educativo más relevante.

Los **mejores padres** son los que

- proveen de un **ambiente rico** en experiencias a sus pequeños;
- permiten que los niños los **interrumpan** durante breves periodos;
- ejercen una **disciplina firme y constante,** mostrando al mismo tiempo un gran **afecto** por sus hijos.

---

trones comunes en la adquisición del lenguaje (véase la tabla de la página siguiente).

- Durante el **primer año** los pequeños realizan numerosos y variados intentos de emitir sonidos lingüísticos. Y aunque suelen resultar ininteligibles, muchos están llenos de significado. En torno al primer cumpleaños, emiten por primera vez palabras sueltas que, en realidad, representan **frases enteras**.

- En el **segundo año,** el vocabulario experimenta un crecimiento tal que cuando el niño cumple dos años, cuenta con un vocabulario de unas **400 palabras** que él mismo puede usar, y a eso hay que añadir muchas otras que, aunque comprende, no las usa por su dificultad o escasa frecuencia.

Este gran avance lingüístico que se produce durante el segundo año de la vida, depende directamente de la cantidad y la calidad de la **interacción lingüística** del niño con los adultos. Así, esas 400 palabras que a los dos años de edad llega a emplear un niño desarrollado en un ambiente favorable, se quedarían en solo unas 25 con una estimulación escasa.

Es natural, por tanto, que muchos padres y madres interesados en el desarrollo lingüístico e intelectual de sus hijos se pregunten:

continúa en la página 44

El aprendizaje de la lengua en los primeros dos años

Edad	Nivel de expresión	Ejemplo
1-4 semanas	Llanto indiferenciado	Manifiesta con el mismo tipo de llanto cualquier necesidad.
6 semanas	Llanto diferenciado	Llanto de hambre, dolor, de sueño.
2 meses	Arrullo	Muestra alegría y emite sonidos vocálicos (por lo general la 'a').
3-4 meses	Balbuceo	Combina sonidos consonánticos y vocálicos ('ma-ma-ma', 'ta-ta-ta').
6 meses	Imitación incorrecta	Escucha el sonido de la bocina de un coche y trata de imitarlo incorrectamente.
9-10 meses	Imitación aproximada	Escucha sonidos vocálicos de su madre y conscientemente los imita.
12-24 meses	Jerga expresiva	Parece llevar a cabo conversación, con entonaciones y ritmos, utilizando sonidos sin significado.
1 año	Frases de una palabra	Pronuncia la palabra 'pan' para pedir un trozo de pan.
2 años	Lenguaje telegráfico	'Papá va', que significa "papá ya se ha ido".

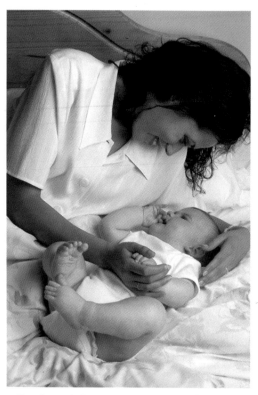

Desde su infancia más tierna, niños y niñas necesitan escuchar palabras y frases pronunciadas con cariño. La correcta articulación oral por parte de la madre, el padre y los cuidadores –frente a la tendencia a imitar los balbuceos del bebé– favorece el desarrollo de la aptitud verbal infantil.

viene de la página 42

¿Qué podemos hacer para que nuestro hijo cuente con un ambiente ideal que le permita desarrollar esta faceta?

He aquí algunas **sugerencias** que pueden aplicarse durante los primeros dos o tres años de la vida del niño.

1. **Iniciación precoz.** Ya a las ***dos semanas,*** los bebés pueden distinguir entre voces humanas y otros sonidos. Es el momento de comenzar a dirigirse **verbalmente** al bebé para introducirlo en el aspecto más complejo de la comunicación humana: el lenguaje.

2. **Utilizar tonos emotivos.** A los ***dos meses,*** el niño tiene la capacidad de distinguir entre una voz enfadada y otra con tono cariñoso. Las **expresiones de afecto** a través de la palabra proporcionan una mayor comprensión y un desarrollo emocional positivo.

3. **Poesía y música infantil.** Aunque el bebé de 6 meses no comprende las palabras de un poema infantil o la letra de una canción de cuna, sí tiene capacidad para distinguir perfectamente el lenguaje hablado habitualmente del poético, porque ya identifica el **ritmo** y la **entonación.** Está, por tanto, muy indicado recitar poemas y cantar canciones infantiles en su presencia, sobre todo dentro de una rutina (por ejemplo, todos los días antes de acostarse).

4. **Interacción de objetos con palabras.** La interacción adulto-bebé puede hacerse en silencio o acompañada de palabras acordes con los objetos que se manipulan. Por supuesto, para favorecer el aprendizaje de la lengua, es recomendable el ***uso abundante*** de la **expresión oral.** Así, por ejemplo, el padre puede entregar al bebé un osito mientras le dice: «Es tu osito, ¿te gusta el osito? Claro que te gusta... A mí también me gusta tu osito...»

5. **Uso de libros ilustrados.** Un regalo útil para el primer cumpleaños puede ser un libro sólidamente encuadernado, en el que mostrar al niño dibujos o fotografías de objetos, personas o animales, y acompañarlas de **mensajes verbales** que muy pronto el pequeño repetirá.

6. **Articulación.** La cabal pronunciación de las palabras por parte del adulto favorece la pronunciación de los niños y acelera el aprendizaje. Es un ***error*** hablar a los niños tratando de **imitar** sus sonidos infantiles y sus incorrecciones.

7. **Alteración del orden.** En los primeros pasos hacia el dominio de la lengua, el niño cuenta con **lagunas** de tipo grama-

continúa en la página 46

Juguetes infantiles

Para los más pequeños, son muy convenientes los juguetes coloristas que se distingan tanto por su carácter lúdico como por su finalidad educativa. Los materiales de fabricación han de ser suaves y manejables, aunque resistentes y constituidos por piezas grandes. Por supuesto, no deben ser tóxicos ni con aristas cortantes.

viene de la página 44

tical que hacen difícil la comprensión del lenguaje habitual familiar. Los padres pueden acelerar la comprensión alterando el orden de las frases. Por ejemplo:

La mamá: «¿Dónde está la cuchara?» (El niño no parece entender.)

La mamá: «La cuchara… ¿dónde está?»

8. Eco. Con esta estrategia se trata de fomentar la expresión. Cuando el niño dice: «El camión se ha… [expresión incomprensible]», el adulto añade: «¿Qué le pasa al camión? El camión…» Así, cuando el niño percibe la importancia de cierta **precisión** en los sonidos, se esforzará por emitir las expresiones correctas.

En general, es recomendable emplear una porción sustancial de **tiempo** en la interacción verbal con el niño. No se necesita una preparación especial para conseguirlo. Simplemente, hay que hacer planes para tener tiempo libre cada día; a fin de poner en práctica los consejos mencionados, así como otros que los padres van descubriendo a medida que interactúan con sus hijos pequeños.

Emociones y personalidad

Álvaro, un pequeñín de tan solo año y medio, ya tiene un amplio repertorio de vida emocional. Se ríe a carcajadas por razones conocidas. Sonríe con una riqueza de tonos que pueden indicar hasta el sarcasmo.

Cuando llora, su llanto está claramente diferenciado; responde a necesidades o sentimientos tan distintos como el dolor de una caída, la sensación de abandono, o el deseo de poseer algo difícil de obtener.

Ahora es capaz de ofrecer afecto y cariño a su madre, a su padre, a sus hermanos mayores e incluso a los muñecos de peluche. Para el observador ya no hay dudas a la hora de saber si Álvaro se siente frustrado, feliz, temeroso o enojado. Su expresión facial y sus movimientos corporales lo delatan. La riqueza afectiva y emocional de Álvaro resulta ahora evidente.

De la misma manera que las facetas física e intelectual se desarrollan durante estos primeros meses, la vida afectiva y emocional del niño también va forjándose. Muy pronto empezamos a conocer la **personalidad** del lactante. Nos damos cuenta de si es persistente, extravertido, intrépido, o impaciente. Pero también observamos que es-

Cuando el pequeño ya tiene unos meses, su llanto deja de ser indiferenciado. Ya resulta posible distinguir si obedece a una o a otra necesidad específicas (hambre, sueño, dolor, anhelo de la presencia materna…). Esto indica un veloz desarrollo del repertorio de su vida emocional.

Desde muy pequeño, el hijo agradece que sus padres le proporcionen una sensación de limpieza, que redunda en bienestar físico y psíquico. De paso, el pequeño adquiere hábitos regulares y disfruta de la proximidad de su progenitor.

tos rasgos son ahora mucho **más susceptibles de mejora** que en la edad adulta.

Para poder ayudar a los más pequeños a desarrollar una personalidad sana y formar las bases de una etapa adulta equilibrada, hemos de conocer cuál es el **mundo emocional** de estos primeros meses de vida. A continuación explicamos los hitos más importantes que se suceden a esta edad.

El desarrollo de la confianza

Eric Erikson, uno de los grandes estudiosos de la psicología de niños y adolescentes, fue quien primero propuso en 1950 la **confianza** (el 'fiarse de') como la tarea psicológica **más importante** en el **primer año** de vida.

Hoy se acepta ampliamente la tesis de que el bebé **aprende** a confiar o a descon-

fiar. Si el ambiente de esos primeros meses satisface las necesidades fisiológicas (no hay carencia de alimento, de limpieza o de sueño) y las afectivas (besos, abrazos, palabras cariñosas y demás muestras de simpatía), el niño aprende a confiar en su entorno y en la persona que lo cuida. Tendrá lo que puede llamarse **confianza básica en la vida**. Si esto no se consigue, el bebé percibirá el mundo al que ha llegado como un lugar poco digno de confianza.

Las implicaciones de esta teoría llegan a ser especialmente relevantes en relación con los años futuros. Son varias las investigaciones que han revelado la conexión que existe entre las **experiencias tempranas** y el éxito o el fracaso en los ajustes posteriores.

Si no se logra que el niño adquiera una confianza básica, aumentará la probabilidad de encontrarnos con una personalidad **pa-**

ranoica (excesivamente desconfiada, recelosa, sospechosa) en la vida adulta.

Precisamente es la **madre** (o persona responsable del cuidado del pequeño) quien mejor puede ayudar a superar esta crisis de confianza. Con su calor, su alimento natural, y los diversos modos de manifestar el cariño, la madre proporciona al niño el **ambiente ideal** que facilita el **desarrollo** afectivo y personal.

En todo caso, el papel de los padres es fundamental para que dicho desarrollo resulte equilibrado y completo. En el cuadro-sección *"El Papel de los Padres"* de la página siguiente se ofrecen pautas de apoyo emocional.

Las etapas de la personalidad

El bebé de un mes no responde a estimulación afectiva alguna. Puede considerarse un ente emocionalmente **aislado** del entorno. No indica esto que la acción del adulto no sea importante, sino que la **respuesta** del niño **no** es **evidente**.

Sin embargo, al cumplir 2 o 3 meses el bebé entra en una etapa de **apertura al entorno** que facilita la interacción con la madre, el padre u otras personas. El lactante experimenta ahora interés y curiosidad por lo que ocurre alrededor.

Durante los siguientes meses y hasta que cumple 6 o 7, el niño no solo percibe los eventos circundantes, sino que discrimina entre ellos. Muestra impaciencia por la comida cuando ve que se la están preparando; refleja decepción si lo que espera al final no llega; y reacciona de forma diferente a las palabras o caricias de personas distintas. Se trata de un momento de **despertar social**.

Cuando el bebé tiene 9 meses ya puede desplegar un alto nivel de participación activa. En realidad, no solo reacciona sino que él mismo **inicia la interacción**. Así ocurre cuando emite un sonido ininteligible y alarga la mano al paso de su madre. Si esta lo atiende, sus próximos intentos mostrarán una mayor frecuencia y convicción.

Poco antes de cumplir un año el bebé manifiesta un especial interés por una persona: la madre, o quienquiera que sea el proveedor directo de sus necesidades. El desarrollo del **vínculo** entre la **madre** y el **niño** es de suma importancia para que el despegue posterior resulte satisfactorio. Solamente cuando dicho vínculo se haya afianzado podrá el lactante sentir la suficiente seguridad para iniciar sus actividades aun cuando la madre se halle físicamente presente.

Después vienen los **intentos de independencia**. Esto ocurre entre la edad de 12 y 18 meses. Los bebés a esta edad, habiendo comenzado a dar sus primeros pasos, exploran el entorno (por ejemplo, la habitación y la casa), pero retornan regularmente a la presencia de la madre, porque precisan la fuente de seguridad personal. Sin embargo, ya cuentan con la suficiente autonomía como para no acudir cuando los llaman.

En torno a los 2 años de edad o en los meses sucesivos, el niño comienza un proceso de maduración que culmina con la **formación del autoconcepto**. Ahora el niño entiende bastante bien que él es un ser con cierta autonomía, conoce la diferencia entre niños y niñas, y sabe a qué sexo pertenece.

En la inmensa mayoría de los casos, la reacción emotiva natural de los padres vela para que estas etapas descritas sean apoyadas y satisfechas para bien del pequeño. Sin embargo, este **afecto natural** puede desvanecerse si el ambiente que reina en torno al niño dista mucho del ideal, o por causa de una personalidad paterna deteriorada, como explicamos a continuación al referirnos a los efectos del rechazo.

Las consecuencias del rechazo

A pesar de los disgustos que los niños proporcionan, la mayoría de los padres admiten que disfrutan con sus hijos. Tanto es así que algunos expertos han concluido que **los años más felices** de la etapa adulta son los de la crianza de los pequeños.

Un desarrollo psicológico equilibrado

Las mejores estrategias de apoyo emocional se basan en estos principios:

- **El lactante necesita un ambiente grato y confortable.** Para poder satisfacer sus necesidades psicológicas, las necesidades fisiológicas tienen que haber sido previamente satisfechas.

  El cuidado por la **salud mental** del bebé empieza por atender correctamente su alimentación, higiene (del niño y de su entorno), temperatura ambiental y horas de sueño.

- **La rutina del bebé es imprescindible.** Los cambios en la rutina diaria del niño afectan a sus emociones. Y cuanto más marcadas sean esas variaciones, más profundo será el efecto.

  El desarrollo emocional y afectivo se beneficia de la regularidad en las horas del sueño y de la comida. El niño necesita que sus actividades sean **predecibles.** Ello le ofrece **seguridad y confianza.**

- **El contacto físico es fundamental.** Para el buen desarrollo emocional y afectivo, no es suficiente la mera satisfacción de las necesidades fisiológicas. Las caricias, los abrazos, los besos y, en general, los comportamientos afectivos basados en el **cariño** hacia el bebé, constituyen la mejor **medicina preventiva** para los desequilibrios afectivos.

- **La interacción verbal y facial favorece el desarrollo emocional.** Las palabras pronunciadas en tono suave, el intercambio de sonrisas, gestos y expresiones faciales, son ejemplos de la **profunda comunicación** que tiene lugar entre adulto y lactante. Estas actividades proporcionan una experiencia placentera a sus protagonistas; además, desarrollan un vínculo afectivo que sirve de base para una vida futura de **equilibrio** en las **emociones,** los **afectos** y la **personalidad.**

De ahí que cueste creer que el **rechazo y maltrato infantil** sea un fenómeno real. Sin embargo, las estadísticas que muestran una *incidencia creciente* de estos problemas debieran ponernos a todos bien en guardia frente a tan antinatural conducta.

¿Por qué los padres despliegan estas conductas de rechazo que producen tantos desequilibrios en la personalidad de sus hijos?

Nancy Van Pelt, en su libro *Hijos triunfadores,* enumera ciertas razones por las que los padres rechazan a sus hijos:

- El niño como **amenaza de la relación conyugal**. Uno de los cónyuges o incluso ambos pueden ver un **rival** en el hijo. Algunos pueden hasta hacer uso de la violencia contra el pequeño por esta razón.

- La **falta de planificación familiar**. Los embarazos indeseados pueden provocar que ciertos progenitores vean en el recién nacido el resultado de un error o de la mala fortuna, y, como consecuencia, acaben rechazándolo o maltratándolo.

- El nacimiento de un hijo del **sexo opuesto al deseado**. La reacción de re-

continúa en la página 51

El síndrome de carencia afectiva

El psiquiatra infantil Goldfarb puso de manifiesto los múltiples efectos que conlleva el rechazo de los padres hacia los niños. A continuación enumeramos los trastornos más importantes, que en conjunto reciben el nombre de síndrome de carencia afectiva.

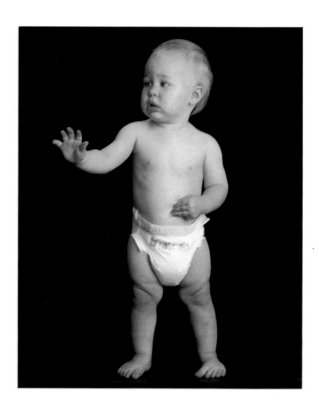

- **Dificultades en el aprendizaje**, debilidad en la memoria, falta de aptitudes para razonar.

- **Trastornos en la orientación espacial y temporal**, dificultades específicas para comprender problemas matemáticos (especialmente geométricos) y para captar correctamente la noción de tiempo.

- **Deficiencias en los procesos inhibitorios** de control de la actividad nerviosa y problemas para autodominarse, que se traduce en una conducta desorganizada, hiperactiva, con frecuentes rabietas y dificultad para controlar la orina.

- **Necesidad de afecto y de cariño**, pero al mismo tiempo inseguridad y desconfianza hacia las personas que parecen dispuestas a ofrecérselos.

- Dependiendo de la personalidad de cada niño, se producen diversas **reacciones psicológicas,** como son la ansiedad, las tensiones, las conductas de aislamiento o las conductas agresivas.

- **Dificultades** a la hora de integrarse al **medio escolar**.

- **Regresión de la conducta** a formas más primarias de las correspondientes a su edad.

La prevención de este problema ha de centrarse en el esfuerzo de concienciación, por parte de los padres, para que entiendan que sus hijos, desde el mismo nacimiento, necesitan el afecto y el cariño tanto como el alimento. Y, por supuesto, evitar por encima de todo una separación demasiado prolongada entre madre e hijo, especialmente durante los dos o tres primeros años.

Desde que cumple un año, la sociabilidad del pequeño se acrecienta. Aunque en principio le costará compartir sus juguetes e incluso reñirá por causa de ello, si sus relaciones con otros niños son asiduas podrá acabar adquiriendo una actitud más altruista y generosa.

viene de la página 49

chazo por parte del padre hacia la niña, cuando él esperaba un varón, es la más típica. De esta manera, es probable que la niña se vea privada del necesario cariño de su padre.

- **Sensación de culpa** por haber concebido al hijo fuera del matrimonio. El haber engendrado descendencia sin estar casados motiva que algunos padres proyecten su sentimiento de culpa sobre el niño, rechazándolo.

- La carga del bebé se presenta como **desmesurada**. Algunas parejas no se aperciben con suficiente antelación de que el lactante los obligará a dedicarle mucho tiempo, dinero, trabajo y esfuerzo. Esta actitud inmadura lleva a uno de los progenitores, o a ambos, a rechazar al nuevo miembro de la familia.

- **Presiones familiares**. Padres y suegros ejercen a veces fuertes presiones sobre los cónyuges. La tensión debida a esta causa puede manifestarse en forma de maltrato hacia el bebé.

El **rechazo** puede darse en muchos grados, desde la simple frustración ocasional –que resulta normal– hasta la repulsa cons-

tante del niño o la niña. Las consecuencias de esta última actitud son devastadoras.

Los niños privados de este necesario cariño sufren con frecuencia desequilibrios psíquicos y mentales relevantes. Considérese el **síndrome de carencia afectiva**, cuyas características se enumeran en el cuadro de la página contigua.

El mundo social infantil

Nada más nacer, el bebé comienza a percibir el mundo como un lugar en el que hay entes muy característicos: los seres humanos. Además de ser los tales una fuente de satisfacción física, también los son de satisfacción emocional y afectiva, al cubrir sus necesidades de cariño y de aceptación.

Y son los padres quienes primero irrumpen en la escena del lactante. Tradicionalmente, la figura de la madre se ha visto asociada con la del bebé; pero cada vez son más los varones que adoptan roles variados, y los bebés miran al padre y a la madre como **figuras complementarias** que pueden satisfacer sus necesidades.

De hecho el tradicional vínculo materno-filial puede a menudo establecerse con el padre en vez de la madre, especialmente en las sociedades occidentales donde los roles son múltiples y menos diferenciados que en el pasado.

Por otra parte, como ya hemos mencionado, el papel de ambos progenitores no tiene por qué solaparse sino que puede ser **complementario.** Algunos estudios muestran que existe una preferencia por parte de los bebés (especialmente los varones) a escoger la compañía del padre en momentos de diversión, y de la madre en momentos de necesidad o de ansiedad, lo que indicaría la existencia de **funciones específicas** que se complementan.

La **presencia activa** del padre junto al bebé (en contraposición a la presencia sin interacción alguna) se relaciona con un desarrollo emocional e intelectual equilibrado y consistente.

Una etapa fundamental en el desarrollo social del bebé es la aparición del mencionado **vínculo materno-filial.** Alrededor de los 8 meses de edad, el lactante siente una fuerte preferencia hacia uno de los adultos próximos a él. Se trata de la persona a la que ha aprendido a reconocer y que es la fuente de satisfacción de sus necesidades.

Este fenómeno desaparecerá en torno a los dos años de edad. Pero la existencia de este vínculo es de *suma importancia* para un desarrollo equilibrado de la personalidad del bebé. Paradójicamente, la **independencia óptima** se consigue por medio de un **fuerte vínculo** *previo.* Los niños que lo han desarrollado con intensidad contarán con la seguridad necesaria para desligarse de dicho vínculo, superando así la eventual crisis de confianza antes explicada.

La realidad del vínculo materno-filial se evidencia a través de dos fenómenos: el **estrés de la separación** y la **ansiedad ante una persona extraña**.

El primero se observa claramente entre los 8 y los 12 meses, fase vital en la que el bebé llora desesperadamente si su madre sale de la habitación y lo deja solo. Y aunque

a esta edad empiece a efectuar alguna exploración gateando, volverá a la madre con frecuencia.

El segundo fenómeno, la ansiedad ante un desconocido, aparece uno o dos meses después. Al principio el bebé no extraña a otro adulto; puede incluso estar en brazos del desconocido y mirar a su madre como intentando compararlos, pero sin protestar. Muy pronto, el niño se sentirá obviamente inquieto en los brazos de una persona desconocida. Por supuesto, dado el tiempo necesario, el bebé se acostumbra a esa nueva persona, pero el vínculo materno-filial se sigue manteniendo.

Hemos de mencionar el hecho de que el **mundo social del bebé** también se expande hacia otros niños pequeños. A partir del primer cumpleaños, los niños disfrutan con la presencia de otros compañeritos de su misma edad. Las interacciones son muy simples y la mayor parte se refieren a riñas en cuanto a quién se llevará el juguete.

Estas actividades sociales alcanzan un punto de madurez cuando el niño cumple dos años. Si ha tenido **contacto regular** con otros niños, a esta edad, las disputas son mínimas e incluso pueden observarse conductas que indican comprensión de los sentimientos de los demás.

Tiempo para una tarea básica en una etapa básica

Todo este capítulo nos lleva a la **conclusión** de que los **dos primeros años** constituyen una etapa básica en el desarrollo intelectual y emocional.

Los padres tienen en sus manos una magnífica oportunidad para **sentar las bases** del desarrollo general de sus hijos en el futuro.

Nunca debe restársele importancia a esta edad por el hecho de parezca que los pequeños no entiendan; antes bien, es preferible esforzarse por mejorar la calidad de la relación y por *dedicar más tiempo a* la hermosa tarea de *ser padres.*

El niño malcriado

Mi hijo, de 5 años de edad, ha tomado las riendas de mi hogar: no hay manera de acostarlo a una hora prudente, deja sus juguetes esparcidos por toda la casa, solamente come aquello que le gusta, y hasta que no consigue lo que quiere, no para. Realmente no sé cómo solucionar este problema.

Son frecuentes los casos como el suyo en los que los padres han perdido unos años preciosos, únicos e irrecuperables para la educación de sus hijos.

Según la educadora **Ellen G. White,** en su obra 'Conducción del niño': «Pocos padres empiezan **suficientemente temprano** a enseñar la obediencia a sus hijos. Generalmente se permite que el niño tome la delantera en dos o tres años a sus padres, quienes se abstienen de disciplinarlo, pensando que es demasiado joven para aprender a obedecer. Pero durante todo ese tiempo el yo se va fortaleciendo en el pequeño ser, y cada día se torna más difícil la tarea de dominar al niño» (pág. 76).

La conducta infantil que usted plàntea en su pregunta viene motivada por **actitudes paternas que deben evitarse,** guiadas por un mal entendido amor. Son las siguientes:

- **No negarle** nuncà nada.
- Ejercer una **sobreprotección** hacia el niño que le impide el desarrollo equilibrado de su personalidad.
- **No tolerar** que sufra nunca la más mínima **frustración** de sus deseos.
- Mostrar **preferencia** por él sobre sus hermanos.
- Consentir que sea el **tirano** del hogar.
- No enseñarle a respetar los **derechos ajenos.**

- Prestarle **ayuda en exceso.**
- **Tolerar** su **pereza y ociosidad.**

Estas posturas no lo preparan para enfrentarse con una vida auténtica.

Para alcanzar este objetivo, se pueden seguir estas **pautas positivas:**

- Los niños tienen que aprender a **esforzarse** para conseguir aquello que desean.
- Necesitan relaciones estables y aliento, pero también han de **enfrentarse con la realidad** y con las dificultades de la vida.
- A un niño que se siente amado, no le importa que le hagan comprender que debe **mejorar** ciertos rasgos de su carácter.
- Los padres han de imponer ciertos **límites** a las conductas de sus hijos.
- No se puede esperar que los niños sean educados, si no observan esta cualidad en sus padres, es decir, su **ejemplo.**

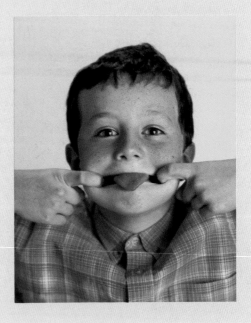

El niño llorón

Tengo un problema que con frecuencia me provoca dolores de cabeza: mi hijo de año y medio llora constantemente, por cualquier motivo y en cualquier lugar. ¿Qué puedo hacer?

Como hemos mostrado en este segundo capítulo de PARA EL NIÑO, en los primeros meses de vida del niño el llanto es **su medio de comunicación;** llora si tiene hambre, si quiere dormir, si se encuentra incómodo por el frío o el calor...

Cuando el niño ya puede utilizar el **lenguaje** para comunicarse, el llanto pasa a cumplir otras funciones. Los padres han de saber detectar a qué causas responde su lloro prolongado. Estas pueden ser variadas, y cabe agruparlas del siguiente modo.

- **Incidentales:** se ha caído, le ha pegado otro niño, se ha hecho daño con sus juguetes, le han dado un susto...

- **Orgánicas:** le duele un oído, tiene fiebre, padece alguna enfermedad...

- **Psicológica:** se encuentra triste, aburrido, nervioso, incluso puede hallarse deprimido...

En cualquiera de estos supuestos precisa una cuidadosa atención por parte de los padres.

Lo **esencial,** en todo caso, es ser **prudentes** y procurar **identificar** en cada caso el origen de llanto antes de aplicar el posible remedio o, en su caso, correctivo.

Cuando se trata de aquel tipo de llanto que el niño utiliza como medio casi infalible para conseguir sus más nimios deseos y caprichos, los padres han de hacerle comprender que llorar no es el mejor sistema para alcanzar sus objetivos, tal y como explica **Ellen G. White:**

«Una lección preciosa que la madre debe repetir una vez tras otra es que el niño no debe gobernar; **él no es el amo**, sino que son la voluntad y los deseos de la madre los que han de imponerse. Así se les enseña **dominio propio**. No les deis ninguna cosa que pidan llorando, aun cuando vuestro corazón compasivo desee mucho complacerlos; porque si una vez ganan la victoria mediante el llanto, esperarán hacerlo una vez más. La segunda será una batalla más vehemente» ('Conducción del niño', pág. 84).

Es preciso que desde la más tierna infancia el niño reciba educación. El **verdadero amor paternal y maternal** es aquel que permite al hijo desarrollarse plenamente en todos los aspectos y lo prepara para la vida, marcando límites siempre que resulte necesario –esto da seguridad al niño– e impidiendo el desarrollo de aquellas características negativas que le puedan acarrear perjuicios.

"Darle de comer es un problema"

Hasta hace un par de meses, Marcos (que acaba de cumplir los dos años) comía bien, pero ahora darle de comer es todo un problema. Casi nunca tiene apetito y le interesa más jugar que tomar las deliciosas comidas que le preparo. Suele comer bien al mediodía, pero a veces no prueba el desayuno ni la cena; otras veces, solo toma cuatro o cinco bocados. ¿Qué puedo hacer para que coma normalmente?

Los hábitos alimentarios, igual que otros aspectos de la vida humana, siguen sus etapas, especialmente en el caso de los niños. Marcos parece estar atravesando una etapa en la que su organismo necesita menos cantidad de alimento.

Además, el cuerpo humano está equipado con **mecanismos** que regulan el apetito para que tomemos una cantidad adecuada de alimentos, ni más ni menos. Desafortunadamente, a medida que nos hacemos mayores, aprendemos a "engañar" a esos mecanismos con las comidas deliciosas que fácilmente podemos ingerir sin apetito.

Pruebe los siguientes consejos:

- Puesto que Marcos hace una buena comida al mediodía, aproveche esa ocasión para darle **alimentos nutritivos**.

- Que no tome nada **entre comidas**. Cualquier golosina arruinará su apetito y no lo alimentará.

- A su edad es natural que esté más interesado en el juego que en la comida. Para competir con el entretenimiento del juego, prepare alimentos que tengan una **presentación atractiva**. Las verduras y las frutas se prestan a cortarse en formas y a combinarse en colores que harán de la comida un momento divertido.

- **Deje que coma solo**, aunque ello complique algo las cosas. A esta edad, los niños quieren tener autonomía y control sobre lo que hacen. Y eso puede ayudarlo a comer mejor.

- En cualquier caso, **no lo fuerce**. Si hace una buena comida regularmente y las otras de vez en cuando, no hay nada que temer. Recuerde que las necesidades varían considerablemente de un individuo a otro.

3

El ámbito social

LUPE y Elena son dos hermanitas de 5 y 6 años respectivamente. Como asisten al mismo centro escolar y tienen una edad parecida, pasan muchas horas juntas todos los días. Y, naturalmente, en algunas ocasiones se pelean, pero en muchas otras juegan en armonía. Días atrás su madre escuchaba esta conversación:

–Vamos a jugar al teatro, decía la mayor.

–¡Siiiií! –exclamaba su hermana.

Después de haberse puesto de acuerdo en cuanto a quién hacía de qué, y de buscar algunos atavíos en un armario, Elena decidió que ella iba a ser la directora, que Lupe sería la actriz e interpretaría a una ancianita que contaba historias a sus nietos, y que iba a haber una explosión en medio de la historia.

–Mira –decía Elena–, tienes que sentarte aquí con este pañuelo en la cabeza y empezar a contar de cuando tú eras niña

En el juego de los niños se esconde con frecuencia un sentimiento profundo.

JOHAN C. F. SCHILLER
Poeta alemán
1759-1805

y de cómo unos niños malos pusieron un explosivo en la escuela... ¡Acción!

–Niños, voy a contar una historia –empezó Lupe– de cuando yo era muyyyyy pequeñita. Había unos niños malos en mi escuela que todos los días explotaban cosas.

–¡No! ¡No! –interrumpió Elena– No puede ser todos los días o los habrían expulsado de la escuela. Empieza otra vez desde que dices "muyyyy pequeñita"... Además tienes que hablar más bajito, como las abuelas, no con esos gritos.

La madre de las niñas se quedó entre asombrada y perpleja ante la complejidad del juego. No solo estaban jugando a hacer fantasías, sino que jugaban a cómo los mayores hacen fantasías. Han cambiado mucho las pequeñas Lupe y Elena desde los días en los que jugaban de un lado a otro sin llevar a cabo plan conjunto alguno. Ahora, por el contrario, son capaces de mucho más. Cuando invitan a otros niños y niñas se organizan bastante bien. Les encanta que sus amiguitas las inviten. En la última fiesta de cumpleaños, Elena y Lupe ayudaron a su madre a confeccionar la lista de los invitados y a planificar todo lo que iban a hacer durante la fiesta.

Mientras que los dos primeros años de vida se caracterizaron por una interacción relativamente simple entre la madre y el niño, en la edad preescolar los pequeños llevan a cabo avances muy importantes de **socialización** dentro y fuera de casa.

Para el momento de iniciar la escolaridad, el lenguaje y el pensamiento han madurado ya suficiente como para establecer relaciones complejas en el ámbito del juego y de las tareas escolares. Con el desarrollo social normal, el niño se va **desvinculando de la familia** y adentrando en el mundo escolar.

La fuente principal de relaciones sociales para el niño de 3 a 5 años, continúa siendo la familia. Sin embargo, otros niños (amiguitos del centro preescolar o del vecindario) y otros adultos (maestros y maestras de preescolar o padres de otros niños) aparecen en el entorno del pequeño. Con la **escolarización**, el mundo social del niño fuera de la familia adquiere una dimensión importante para su aprendizaje de las relaciones interpersonales.

El niño de edad preescolar en familia

La edad de **3 a 5 años** ofrece una ocasión excelente para el aprendizaje de hábitos, valores, costumbres y aspectos de la cultura en la que vive el niño.

En general, puede decirse que esta **edad** es **la más influible** de todo el ciclo vital, con vistas a transmitir los conceptos mencionados. Es la mejor ocasión para los padres que tienen interés en enseñar a sus hijos su escala de valores. Por su importancia fundamental dedicamos todo el capítulo siguiente, *"El carácter y la personalidad"* (pág. 83), a este tema.

¿Cómo se lleva a cabo la interacción paterno-filial en la edad preescolar?

El proceso más importante es el llamado **aprendizaje imitativo** o aprendizaje vicario. Todo niño, en gran medida, aprende a través de la **imitación de modelos.** A esta edad, el modelo de más relevancia suele ser el padre para los niños y la madre para las niñas; aunque hemos de reconocer que con frecuencia este proceso no se halla ligado al sexo y el ejemplo de ambos es relevante para unos y otras.

En efecto, tanto en el juego como en la vida real, el pequeño imita al adulto en la mayoría de las conductas. Y es aquí donde **ambos progenitores** necesitan tomar conciencia de su **función de modelos.** Cuando sorprendemos al niño poniéndose la corbata de su padre o manipulando la caja de herramientas, sonreímos por la simpatía de la escena. Sin embargo, no nos agrada verlo con un cigarrillo en la boca o insultando a alguien.

Ciertos padres se sorprenden porque su hijo o hija no ha adquirido el hábito de ce-

continúa en la página 60

El mundo social del niño: su evolución

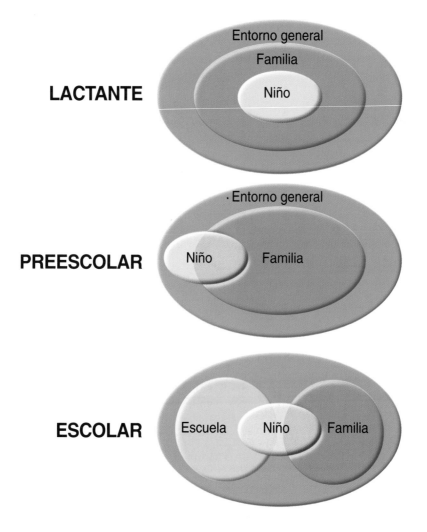

El bebé vive cobijado en el seno de su familia. Ya en la edad preescolar, el mundo infantil se torna mixto (entre la familia y el entorno general). Pero el auténtico despegue social adviene con el inicio de la escolaridad obligatoria.

viene de la página 58

pillarse los dientes después de la comida, o bien porque no le gustan los libros infantiles. Otros, en cambio, se maravillan de que sus hijos hayan aprendido cosas buenas sin haberles instruido nunca en ese sentido. La explicación puede encontrarse con frecuencia en el **aprendizaje vicario**. ¿Cómo puede un pequeño desarrollar gusto por los libros si nunca observa a sus padres leyendo?

Un niño aprende todo el repertorio de conductas paternas sin hacer ningún proceso de selección. Es, por tanto, imperativo que los padres desplieguen las conductas más deseables para que sus hijos las aprendan.

Otro factor determinante de la interacción padres-hijos lo constituyen las **expectativas** de los padres en cuanto a sus hijos. Los pequeños llegan a ser, a corto y a largo plazo, lo que sus padres manifiestan acerca de ellos. Los padres que constantemente están recriminando las actuaciones de los pequeños y, en presencia de ellos, comentan a otros padres lo malos que son los hijos propios, corren el peligro de verlos seguir la línea esperada.

Afortunadamente, el proceso funciona también en el otro sentido. Los progenitores que se centran en las buenas conductas de sus hijos, hablan de ellas felicitándolos por los logros alcanzados, y los animan a conseguir nuevas metas, demuestran que las expectativas son altas, y en la mayoría de los casos verán cumplidas esas aspiraciones.

En un interesante análisis que llevaron a cabo Rosenthal y Jacobson, publicado en el libro *Pygmalion in the Classroom* (Pigmalión en el aula), se confirmó el poder de las expectativas del mundo de los adultos.

El estudio inicial consistía en administrar unos tests de capacidad intelectual a los preescolares de varios colegios. Los resultados de estas pruebas se mantuvieron ocultos. Sin embargo, se creó al azar una lista de niños y niñas, respecto a los cuales sus profesores fueron informados de que se trataba de alumnos que iban a experimentar un gran progreso intelectual en los meses siguientes. Por supuesto, esta afirmación no tenía fundamento alguno.

Unos meses más tarde, todos los niños se sometieron a un nuevo proceso de exploración psicológica. Los resultados pusieron de manifiesto que los alumnos incluidos en la lista falsa habían experimentado un avance en su madurez intelectual.

Aunque este estudio fue sometido a intenso debate, otros estudios posteriores no solo confirmaron **el poder de las expectativas** sobre el desarrollo intelectual, sino también en relación con la conducta, los hábitos de estudio, las actitudes, etcétera.

Aparte del aprendizaje por imitación y del papel de las expectativas, los padres ejercen una influencia importantísima a través de los **métodos de disciplina** que emplean con sus hijos. Para una exposición más detallada de la disciplina familiar remitimos al lector al capítulo 5 (pág. 97) de PARA EL NIÑO.

El niño en edad preescolar fuera de casa

En caso de asistencia a un centro preescolar (guardería o *kindergarten*), y por sus mayores posibilidades de acercamiento a otros niños de su edad, el pequeño sale parcialmente del círculo familiar y se expone a la influencia de un entorno más amplio. La **relación extrafamiliar** aumenta no solo en cantidad sino también en calidad.

¿Cuales son las implicaciones de este progreso en la socialización?

Investigaciones recientes han puesto de manifiesto que el niño·entre 3 y 5 años aprende mucho de otros niños en las **áreas cognitiva** (formas de pensar, resolver problemas, juegos complicados...), **motriz** (deportes, juegos de educación física...), **psicomotriz** (cómo agarrar el lápiz, cómo recortar...) y **social** (lenguaje, negociar soluciones a problemas de relación, jugar en equipo...).

La relación previa con los padres es muy influyente a la hora de entablar un vínculo social con sus amiguitos. Por ejemplo, los

Si asisten a un centro preescolar, las niñas y los niños desplegarán su dimensión social –decisiva para su desarrollo intelectual, físico y afectivo– a través de la participación en clases, juegos, deportes y manualidades.

niños que durante la primera infancia consiguen un **adecuado nexo afectivo** con sus padres, se relacionan con otros niños más eficientemente que los que no alcanzaron ese vínculo afectivo positivo. Según ciertos estudios, los primeros tienen mucha menos tendencia a arrojar los juguetes, a pelearse, a llorar, y a marcharse enfadados de la habitación, y más tendencia a compartir los juguetes y a reír juntos.

A partir de ahora, los **demás niños** constituyen una fuente importante de **influencia** que culminará en la edad adolescente. Los niños **actúan** conforme a lo que ven hacer a sus compañeros de juego; además, las **opiniones** de los demás conformarán sus conductas.

Pensemos, por ejemplo, en una niña que dibuja una casa; al ver el dibujo, sus amiguitos exclaman: «¡Qué casa más bonita!», o deciden por su parte dibujar una casa idéntica, evidenciando así su aprobación. Estos mensajes son grandes reforzantes del comportamiento artístico de la niña y favorecerán que explore más y más su capacidad.

De la misma manera, un niño que emplea un lenguaje soez puede recibir reacciones diversas por parte de sus amiguitos. Si estos lo consideran "mayor" por el lenguaje que usa, y lo respetan, están reforzando su hábito de usar palabrotas. Pero si lo rechazan por decirlas, están propiciando que el niño evite utilizarlas la próxima vez.

Conviene, pues, que los padres ejerzan **control** sobre el tipo de influencia que otros niños ofrecen a sus hijos, quizá seleccionando a aquellos amiguitos que refuerzan los comportamientos deseables.

El niño en edad escolar en familia

La vida familiar se ve afectada significativamente por el comienzo formal de la escolaridad. En la mayoría de los países, todos los padres tienen la obligación de enviar a sus hijos a la escuela a los 6 años, aproximadamente.

Al principio de la escolarización, el núcleo familiar continúa con su protagonismo,

Más o menos hacia los seis años, tanto los niños como las niñas tienden a concentrarse cada vez más en su vida social extrafamiliar. Empiezan, por lo tanto, a establecer grupos para todo tipo de actividades lúdicas o académicas. Conviene que los padres influyan, con tacto, en la elección de amistades para sus hijos, y que los profesores sepan encauzar las actividades de los grupos en un sentido provechoso para sus miembros. Sin embargo la emancipación normalmente se produce después de la adolescencia (véase nuestra obra 'Para adolescentes y padres' en esta misma colección, NUEVO ESTILO DE VIDA).

pero muy pronto el centro social del niño va a ser la escuela.

En efecto, muchos padres cuyos hijos asisten regularmente a la escuela tienen la impresión de que casi no ven a sus hijos: fiestas de cumpleaños, salidas organizadas, excursiones, visitas a casas de sus compañeros, deportes, etcétera, se suceden continuamente.

Si a todas estas actividades añadimos las horas lectivas nos encontramos con que el escolar medio pasa **en casa muy pocas horas despierto**, de las cuales más de la mitad se le van en hacer los deberes escolares, en comer y en el cuidado personal.

A pesar de todo, hemos de reconocer que el núcleo familiar sigue siendo de vital importancia. Los padres continúan siendo el punto en el que convergen las preocupaciones, los problemas y las satisfacciones de los niños. No solo hemos de tener en cuenta las horas y los minutos que el niño pasa en compañía de sus progenitores, sino especialmente la calidad de esta relación.

El niño en edad escolar en el ámbito del grupo

Como ya hemos apuntado, el niño en edad escolar (6-12 años) da un paso importante hacia la búsqueda de las relaciones extrafamiliares. Esta **segregación** continúa acentuándose con el paso de los años y alcanza el cenit en la edad adolescente (véase nuestro libro de esta misma serie NUEVO ESTILO DE VIDA, *Para adolescentes y padres*). Es el momento en que la opinión de los amigos puede llegar a estimarse más que la de los propios padres.

En un día de colegio, el escolar medio puede pasar en compañía de otros niños entre ocho y diez horas diarias. Aquí incluimos clases, recreos, comedor, juegos en parques o campos de deportes, estancias en casas de los amigos, realización de las tareas escolares, etcétera.

Para entender mejor a los niños y su forma de relacionarse es necesario averiguar cómo se forman los **grupos**. Esto permite a los padres ejercer una influencia correcta a la hora de guiar a sus hijos en la elección de amistades y de relaciones grupales.

La formación del grupo

La red de amistades infantiles se desarrolla independientemente de las agrupaciones organizadas por el centro escolar o el barrio. Dicha red se origina al margen de lo institucional, y consiguientemente sus componentes siguen unas reglas y valores muy diferentes de los establecidos por el mundo adulto.

Es interesante que conozcamos algunas pautas de formación del grupo.

- El grupo suele formarse por **iniciativa de los niños**, y recibiendo muy poca influencia del adulto.

- Los **criterios preferidos** por ellos incluyen una personalidad amigable y divertida, una buena inteligencia y una excelente capacidad atlética para los juegos y los deportes.

- Los niños tienen **pocas reglas** para el funcionamiento del grupo y suelen seguir las directrices arbitrarias del **líder**, que es el niño o niña más popular.

- En los primeros años de escolaridad, los grupos cambian de miembros con facilidad, pero se van haciendo **más rígidos** a medida que la edad avanza.

- En la etapa escolar, los grupos se organizan casi exclusivamente con miembros del **mismo sexo**.

En las escuelas se suele utilizar la técnica del **sociograma** para establecer de una manera gráfica esa **red de amistades** tan relevante en la conducta social de los niños. Consiste en pedir que cada miembro de la clase escriba en un papel el nombre del niño o niña con quien le gustaría realizar un trabajo escolar, o tener como compañero o compañera de pupitre.

El sociograma permite variantes como la utilización de la misma pregunta respecto a situaciones de juego, de excursiones, de visita a casa, y para pedir el nombre del niño o niña con quien a cada uno *no* le gustaría estar en tales ocasiones. Puede verse una forma gráfica de sociograma simple en la página siguiente.

La función del grupo

El grupo de compañeros es de suma importancia para el **desarrollo psicosocial** del escolar. Los niños y niñas que, debido a circunstancias peculiares (por ejemplo, aislamiento geográfico o clase social extremadamente alta), no han tenido ocasión de participar en actividades grupales, desarrollan una personalidad anómala y tienen dificultad para relacionarse con los demás.

La convivencia grupal ofrece a los niños:

- **Un instrumento de medida de su desarrollo general.** Los escolares se percatan de sus posibilidades y limitaciones cuando se comparan con otros compañeros. De este modo, se dan cuenta de sus aptitudes escolares, fuerza física, destreza manual, humor, etcétera, siempre en interacción con los demás.

- **El aprendizaje de las conductas adecuadas.** Los hábitos de orden y limpieza, que pueden parecer imposibles de inculcar en casa, el niño puede captarlos intensamente en la escuela, observando a sus condiscípulos.

- **Una fuente de aprendizaje de actitudes y valores**. Los niños tienden a aprender todo tipo de comportamiento grupal. Ello incluye un amplio repertorio de conductas, que abarca desde cómo hacer los deberes escolares, expresarse verbalmente, practicar juegos y deportes, etcétera, hasta las menos positivas, como fumar o hurtar en los comercios.

- **Seguridad emocional**. Con frecuencia el grupo de amigos puede facilitar la comprensión o el estímulo y apoyo que los padres no alcanzan a ofrecer. Un determinado niño se sentirá aliviado al hablar con otro y saber que ambos experimentan la misma ansiedad frente a un examen. O en el recreo, pueden jugar a

maestros y alumnos con la oportunidad de ridiculizar al verdadero maestro.

¿Qué hacer frente al grupo?

Los padres de niños en edad escolar deben contar con recursos para afrontar los **problemas** que puedan derivarse del grupo, así como para no desaprovechar las **oportunidades positivas** que este ofrece.

¿Qué puede hacer entonces un padre o una madre —y también los educadores—, para conseguir que los niños se beneficien de las ventajas del grupo y al mismo tiempo se libren de sus influencias negativas?

Considere las siguientes sugerencias:

- **Ayude a sus hijos a escoger los compañeros de juego.** En tono emocional positivo, haga comentarios sobre los niños y niñas que cuentan con su

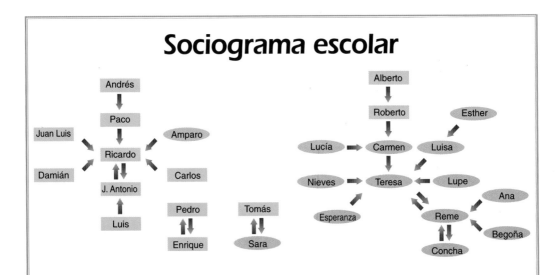

Sociograma escolar

Este sociograma corresponde a una clase de 5° curso de primaria. El sentido de cada flecha indica la preferencia personal de cada niño o niña.

Es evidente que el líder para los chicos es Ricardo (a él señalan el mayor número de flechas); las niñas, por su parte, prefieren a Teresa y Reme. Prácticamente todos los miembros del grupo están conectados directa o indirectamente con los líderes, excepto Pedro y Enrique, por un lado, y Tomás y Sara, por otro, quienes constituyen grupos independientes.

Un buen modo de ejercer control respecto a las amistades de los hijos consiste en invitar a casa, de vez en cuando, a sus compañeros y amigos. Se puede, por ejemplo, organizar una fiesta en la que ellos se sientan protagonistas. Los padres, desde una "distancia protectora", pueden así ir conociendo con quién se relacionan sus hijos de modo preferente. Con esta información, les será posible influir en uno u otro sentido de cara al futuro.

aprobación. Ayude así a estimular el gusto y la atracción por la compañía de estos niños. Invítelos a su casa siempre que sea posible.

Conocimos a una madre que permitía a sus dos hijos estar en compañía de cualesquiera amigos que los mantuviesen alejados de su casa el mayor tiempo posible, pues ella andaba siempre muy ocupada. Años después quiso influir en sus hijos, pero estos habían alcanzado una edad en la que la opinión de los padres tiene ya poco valor.

- **Influya en el aprendizaje de los valores por parte de sus hijos.** Los padres no pueden aislar herméticamente a sus hijos de la influencia de sus compañeros,

pero sí pueden enseñarles con cariño a **diferenciar** entre lo correcto y lo incorrecto desde que los niños son muy pequeños. Los padres, a través de su propia influencia y enseñanza, puede colaborar eficazmente a que sus hijos desarrollen un **criterio propio** lo suficientemente firme como para que sean capaces de rechazar las invitaciones inapropiadas del grupo.

- **Apoye a sus hijos en la formación de una autoestima sana.** R. W. Berenda, en su clásico trabajo titulado *The Influence of the Group on the Judgments of Children* (La influencia del grupo en las apreciaciones de los niños), estudió una muestra de niños (de 7 a 13 años) que, debido a la presión del grupo,

Desde que el bebé es capaz de una suficiente coordinación motriz, lo normal es que el juego se convierta para él en una especie de obsesión. Esta, aunque ha de ser correctamente encauzada, refleja la tendencia natural del ser humano a aprender deleitándose, y contribuye saludablemente al desarrollo global infantil.

negaban lo que estaban viendo con sus propios ojos.

Unos noventa niños participaron en una prueba en la que se comparaban las longitudes de una docena de pares de líneas rectas. La inmensa mayoría identificó correctamente las líneas más largas y más cortas.

En una prueba posterior, se instruyó a los ocho niños más listos a dar intencionalmente 7 respuestas falsas de un total de 12. En esta segunda prueba, el 50% del grupo general decidió secundar las respuestas de los niños listos, a pesar de ser falsas.

Los niños que mantienen su postura aunque esta difiera de la sostenida por los líderes (los más inteligentes), tienen un buen concepto de sí mismos; mientras que los seguidores a ciegas tienden a la inseguridad personal y a la baja autoesti-

ma. Los padres cuentan con magníficas oportunidades de influir positivamente en el desarrollo de la **autoestima** de sus hijos, como veremos con detalle en el capítulo 8 (pág. 149).

El juego y los juguetes

Al final del interminable paseo por el parque, Ricardo, de 5 años, está agotado. Así se lo hace saber a su padre, pero este se niega a llevarlo a hombros...; ya es mayorcito para aguantar una caminata. Y Ricardo se sienta en un escalón del parque diciendo con ojos llorosos que no puede dar un paso más. De repente, la expresión de su rostro cambia en una fracción de segundo al descubrir a alguien que se acerca. Es un vecino de la misma edad que Ricardo, quien trae el camión nuevo que le han regalado por su cumpleaños. En ese preciso instante, Ricardo salta de su asien-

to y se lanza a la carrera para encontrar a su amigo. Con la misma insistencia que pedía descansar, ahora pide quedarse con su amigo para jugar. ¿Dónde está el cansancio? Parece haber desaparecido por la fuerza motivadora del juego.

Desde que el bebé cuenta con un nivel mínimo de coordinación motriz, se lo observa tratando de asir objetos, hacerlos sonar, arrojarlos y, en definitiva, estudiarlos de todas las formas posibles. Para la inmensa mayoría de los niños el juego es **como una obsesión**.

Antes del comienzo de la escolaridad el niño se levanta de la cama y empieza jugar; y así continúa sin apenas tregua hasta que por la noche, refunfuñando porque quiere jugar más, cae rendido en un profundo sueño.

Cuando asiste a la escuela, se impacienta a medida que se acerca el momento del recreo. Y en casa, se hace preciso perseguirlo para que haga las tareas escolares y ordene su habitación, pero nadie tiene que incitarlo al juego.

Cuando no es momento de jugar o no hay juguetes disponibles, el niño se las arregla para organizar una sesión lúdica. Así, por ejemplo, a la hora de comer, la sopa se transformará en piscina, y las verduras o la pasta que contiene serán peces que se pelean en el agua. Las rodajas del plátano son las ruedas de un camión o un tractor, y si las cortamos por la mitad se convierten fácilmente en las orejas de un simpático oso.

A medida que el niño va creciendo, el juego toma un **cariz eminentemente social**. Así, por ejemplo, el **deporte** de equi-

Capacidad de complejidad lúdica según la edad

Tipo de juego	Edad	Ejemplos
Funcional	0-2 años	Agitar un sonajero, golpear con un martillo de juguete introducir o extraer objetos en una caja, tocar la trompeta...
Simbólico	2-6 años	Jugar a mamás y a papás, hacer de Supermán, jugar a ser carpintero...
Reglado	desde 7 años	Juegos de mesa, escondite, fútbol... (cualquier actividad que implique cumplir unas reglas y conlleve un propósito final, como obtener puntos o ganar)

El juego variado y no excesivo posee un demostrado valor educativo y preparatorio para la vida futura. Favorece la socialización y la adecuada canalización de las energías infantiles. Y, por supuesto, suple sus necesidades de recreación.

po y los encuentros con otros niños constituyen una experiencia en la que se valora no solo la propia actividad sino también la compañía de los demás jugadores.

Esta especie de obsesión infantil por el juego tiene un claro **componente impulsivo, instintivo, natural**. Es una tendencia universal que comparten los cachorros de muchas especies de mamíferos, cuya actividad principal es el juego. Aun cuando los padres no animen a sus hijos a jugar, si estos son normales, acabarán jugando.

Y es que el juego y la fantasía satisfacen una serie de necesidades básicas que los hacen imprescindibles. A continuación describimos con cierto detalle el papel que tiene el juego en el desarrollo infantil.

¿Para qué sirve el juego?

- El juego contribuye al **desarrollo físico** de los niños. Desarrollan los músculos grandes cuando saltan, corren o juegan a la pelota. Aumentan las destrezas de los músculos pequeños cuando juegan a coser, a preparar comiditas, o a pintar garabatos en un papel. Más adelante, con la práctica deportiva tendrán ocasión de promover el desarrollo armonioso de músculos y esqueleto.

- A través del juego, los niños aprenden a usar **nuevas destrezas de tipo intelectual**. Al jugar con cubos o juegos de construcciones, o al formar un rompecabezas, los niños ejercitan mecanismos lógicos y de visualización espacial que les serán útiles en el aprendizaje escolar, y también para resolver problemas de la vida práctica. A medida que aumentan en años y en madurez serán capaces de desarrollar juegos donde se necesita emplear estrategias múltiples de pensamiento complejo.

La tabla de la página anterior muestra cómo con el aumento de la edad infantil las posibilidades de desarrollo lúdico-intelectual van acrecentándose. Así, el juego que resulta meramente **funcional** en la primera infancia, se transforma en **simbólico** en la fase preescolar y en **reglado** en la etapa escolar.

- Por medio del juego los niños pueden **ensayar situaciones de la vida adulta** que les hacen sentirse cada vez más seguros de sus posibilidades. Así, jugando a ser madres, padres, médicos o pilotos, están entrenándose para experiencias de la complicada vida de los adultos sin correr los riesgos que esta conllevaría para ellos.

Las etapas socializantes del juego
según M. Parten

Etapa lúdica	Edad	Definición
Juego solitario	A partir de 2 años	El niño juega él solo con un juguete u objeto permaneciendo ajeno a lo que ocurre a su alrededor.
Juego paralelo	A partir de 3 años	El niño sigue jugando individualmente, pero disfruta con la presencia de otros niños alrededor. La interacción se limita a algún altercado por querer el juguete del otro.
Juego asociativo	A partir de 4 años	Juega con otros niños. Intercambia juguetes, conversan y mantienen una interacción general, pero sin compartir un proyecto común.
Juego cooperativo	A partir de 6-7 años	A esta edad se juega en equipo con el fin de llevar a cabo un proyecto colectivo (por ejemplo, construir un castillo de arena). Se asignan tareas diferentes (por ejemplo: «Tú traes el agua y yo la arena»). Se reconoce al líder o líderes del grupo.

Cuando se hacen algo mayores añaden complejidad a esta tarea, preparando y representando obras teatrales en el contexto de la escuela o del club social.

- El juego también ayuda al niño a **establecer relaciones interpersonales** satisfactorias. En la edad preescolar el juego con los compañeros facilita el aprendizaje de las buenas relaciones entre unos y otros; a la par que ayuda al pequeño a entender que él no puede seguir siendo el centro del universo; por lo que necesita ceder, respetar, pedir, ofrecer y cooperar. Y algo más tarde, el juego en equipo le enseñará los fundamentos de la **estrategia grupal** y de la **solidaridad**.

Existe un acercamiento progresivo hasta alcanzar un alto nivel de cooperación en el juego. Mildred Parten identificó una serie de etapas de socialización por las que pasa el niño en su desarrollo social con respecto al juego (véase la tabla superior).

- Además, el juego es una manera de **descargar la tensión psicológica**. La niña que se dirige a su muñeca diciéndole: «No te preocupes, esta inyección te va a doler un poco; pero así no te pondrás malita», puede estar descargando de este modo una tensión interna iniciada tras enterarse por su madre de que le van a poner una vacuna.

- Por último, el juego también es una fuente importante de **perfeccionamiento lingüístico**. Al utilizar el idioma hablado como medio principal de comunicación en el juego, el niño enseña y aprende palabras, giros y expresiones en un contexto que, por ser altamente realista, favorece la expansión lingüística. Como es natural, la calidad de esta expansión dependerá del tipo de niños con quienes juegue el nuestro.

Los juguetes apropiados

Con frecuencia los padres se cuestionan el tipo de juguetes que deben comprar a sus hijos. La tarea de elección de juguetes requiere la observación de unos pocos principios simples.

Los juguetes han de ser adecuados para la etapa de desarrollo del pequeño. Un juego demasiado avanzado para su edad provocará que el niño no pueda obtener el beneficio esperado y se rinda ante el reto. Un juguete demasiado fácil hace que el niño pierda interés de inmediato.

Más que la edad, el **nivel del desarrollo individual** es el que verdaderamente marca la conveniencia de unos u otros juguetes. Y dicho nivel nadie lo puede conocer mejor que los propios padres, si observan con atención el crecimiento de sus hijos.

Los juguetes deberían *favorecer* el desarrollo de la **imaginación** y de la **creatividad**. Por ello, es conveniente evitar los juguetes que lo hacen todo o que sean un modelo exacto de la realidad, limitando el margen de acción y la creatividad del pequeño.

Aunque ha de quedar un margen importante para el **juego en solitario**, es conveniente que el niño cuente con juguetes útiles para suscitar las relaciones con sus compañeros y con adultos. Estos juguetes ayudan al niño a aprender modos de comportamiento que representan la **realidad social** con la que el niño se tiene que enfrentar.

Además de las facultades intelectivas, los padres han de escoger juguetes que fomenten el **desarrollo motor**. Por ejemplo, aquellos juegos y juguetes que hagan correr, saltar, lanzar la pelota, etcétera.

Todos los juguetes debieran ser **seguros**. En algunos países la legislación es muy cauta al aplicar principios de seguridad que prohíben la fabricación de juguetes susceptibles de provocar algún accidente, aunque sea mínimo. Esto no es así en otros países donde no existen controles rigurosos.

En cualquier caso, los niños son lo suficientemente creativos para encontrar formas de utilizar los juguetes más inocentes de forma peligrosa. Por ello, los padres han de examinar los juguetes y asegurarse de que no pinchen, corten, sean tóxicos, o puedan atragantar, electrocutar o asustar a sus hijos.

Finalmente, los juegos y juguetes *no* deberían *promover* **comportamientos agresivos**. La televisión, los vídeos y el cine ya presentan una cantidad desmesurada de violencia como para reforzarla con juguetes que invitan a la violencia.

La televisión

César regresa por la tarde de su jornada escolar y pulsa el timbre con insistencia. Su madre tiene que abandonar la tarea súbitamente para ir hacia la puerta diciendo en voz alta:

–Ya voy... ya voy...

–Hola mamá–, son las únicas palabras de César.

Se quita el abrigo y deja la cartera en el suelo. Su destino es el televisor. No quiere perderse su programa favorito, que está a

continúa en la página 74

La función socializante del juego en crisis

Los niños de los países industrializados cuentan ahora con más recursos para el juego y el tiempo libre que nunca antes. Pero, ¿se traduce esto en una mejor socialización?

Varias investigaciones han puesto de manifiesto que los niños en la actualidad no participan tanto en **juegos asociativos y cooperativos** como los niños de las dos generaciones precedentes.

He aquí algunas razones que explican esta diferencia:

- La **televisión** ocupa demasiado tiempo como para que puedan relacionarse ampliamente con otros niños.

- De cara a las ventas, los fabricantes están interesados en diseñar juegos y juguetes **individuales**.

- La **abundancia de recursos** hace que no se favorezca la negociación o el intercambio, ya que la mayoría cuenta con muchos juguetes propios.

- El **ambiente urbano,** donde muchas familias se desenvuelven, pone barreras físicas a las actividades de grupo.

- Los propios **padres**, en la actualidad, animan a los niños a jugar independientemente, ya que llevarlos a puntos de confluencia con otros niños (por ejemplo, parques, zonas de recreo y deporte...) les absorbe "demasiado" tiempo.

Ante esta crisis de la función socializadora del juego, los padres pueden tomar ciertas medidas:

- **Seleccionar** los programas televisivos y **limitar** el tiempo que se permite a los niños ver la **televisión.**

- A la hora de escoger un **juego o juguete,** conviene hacerse la pregunta: ¿Se trata de un juego individual o necesita la **participación** de otros niños?

- **Invitar a otros niños** a jugar con el nuestro y hacer arreglos de intercambio.

- Organizar con otra familia amiga salidas o excursiones cuando sea posible, a fin de que los pequeños tengan ocasión para **explayarse al aire libre** fuera del medio urbano.

- Contactar con **organizaciones juveniles serias** (normalmente patrocinadas por los ayuntamientos o municipalidades, o bien por las iglesias) para que los niños puedan entablar amistades de su edad y de su entorno.

Juguetes recomendables

Animales de juguete (3-4 años)

Balancín (3-5)

Bicicleta con apoyo (4-5)

Caballito balancín (3-4)

Caja de arena (con cubo, pala, rastrillo, moldes...) (3-4)

Cajas de cartón duro para escalarlas (3)

Calculadora de juguete (4)

Carretilla (3)

Cartulinas para recortar (3)

Casete (5)

Cocina infantil (3-4)

Coches, aviones, camiones (3-4)

Columpio (3-5)

Cometa (5)

Costura de juguete (5)

Cuadernos para pintar (3-4)

Cubos (3-4)

Cuerda con cuentas (3)

Cuerda de saltar(5)

Disfraces (caretas, guantes, sombreros...) (4)

Disfraces completos (de enfermero/a, bombero, carpintero...) (5)

Fieltros y franelograma (3-4)

Herramientas infantiles (martillo, alicates...) (4)

Imanes (5)

Instrumentos musicales (campana, tambor, trompeta, triángulo, castañuelas...) (3-5)

Juego de construcciones (4-5)

Juegos de mesa simples (4-5)

Libros ilustrados (3-5)

Linterna (5)

Lupa (5)

Madera (trocitos) (3)

Cámara fotográfica de juguete (3-4)

Material de artes plásticas (moldes, lacados, pintura...) (5)

Mesita de trabajo (3-4)

para la edad preescolar

Mueble con cajoncitos (3-4)

Muñecas (3-4)

Patines (5)

Pelotas, balones (3-5)

Pinceles, brochas (3-4)

Pintura (no tóxica y lavable) (3-4)

Pinturas (ceras, lápices
de colores...) (3-5)

Pinzas de colgar ropa (3)

Arcilla artificial (plastilina) de colores (3-4)

Platos, vasos y cubiertos irrompibles (3-4)

Punzón y
papel (4)

Radio de juguete (3)

Registradora de juguete (4)

Rompecabezas
simples (3-5)

Teléfono de
juguete (3)

Tijeras infantiles (3-5)

Tobogán (3-5)

Tren de plástico (3)

Triciclo (3)

Tubo para soplar burbujas (3)

Utensilios de limpieza
(escoba, cepillo, recogedor...) (3-4)

Utensilios de médico
(fonendoscopio, jeringuilla,
termómetro...) (4-5)

Utensilios para muñecas
(camita, carrito o cochecito para bebés,
trona...) (3-4)

Zapatos y cordones (3-4)

Los números entre paréntesis representan la **edad apropiada** para iniciar al
niño en el juego. Las edades varían significativamente según el nivel de madurez individual del niño. Esta lista es ilus-
trativa, por lo tanto se pueden suprimir
o añadir otros juguetes, y no tienen por
qué comprarse, sino que pueden ser preparados o improvisados por los padres.

Por su parte, los **animales domésticos** (perros, pájaros, hámsters...) son
muy interesantes para el niño en edad preescolar y pueden resultar beneficiosos a la hora de enseñar el cuidado y el respeto por los animales. Sin
olvidar que son seres vivos, que requieren atenciones y afecto; no son
juguetes. No adquiera nunca un animal de compañía si no está conven-
cido de que va a poder asumir las responsabilidades que ello implica.

Por su capacidad absorbente y adictiva, la televisión tiene el poder de "enganchar" a los pequeños... tanto o más que a los mayores. Lo que, además de robarles tiempo para tareas más productivas, puede llenar su cabeza de imágenes y sonidos no siempre deseables, a la vez que los puede convertir en individualistas y aislarlos de la familia. Por todo ello, el control de los padres en este asunto resulta indispensable.

viene de la página 70

punto de empezar. Después de este programa vendrá otro y otro...

*Arrancarlo del televisor será difícil, especialmente si es para que haga los deberes o cumpla con cualquier otra responsabilidad. A sus **11 años,** César –como la mayoría de los niños de su edad– ha visto más de **seis mil horas** de programación televisiva, mientras que las horas de permanencia en la **escuela** tan solo han alcanzado el número de **cuatro mil.***

César no es un caso extremo, sino un ejemplo típico de niño occidental: 2-3 horas de tele los días de escuela y 10-15 horas el fin de semana. El vídeo y la abundancia de canales televisivos ofrecen mayor posibilidad de elección, pero al mismo tiempo favorecen un aumento de las horas pasadas frente a la pantalla.

Ante el problema del exceso de televisión se plantea naturalmente la formulación de dos preguntas fundamentales:

*¿Cuáles son los **riesgos** que corren los niños por causa de la televisión?*

*¿Cómo pueden aprovecharse las **ventajas** del televisor sin verse obligado a sufrir sus inconvenientes?*

Los riesgos de la TV

1. La violencia. Según un estudio llevado a cabo por Gerald Looney, de la Universidad de Arizona, se estima que el niño norteamericano promedio, al cumplir los 14 años, habrá presenciado unos dieciocho mil homicidios o asesinatos.

Esta estimación se basa en observaciones de niños norteamericanos, pero hemos de admitir que la naturaleza de los programas televisivos en el resto del mundo no es muy diferente. En primer lugar, la mayoría de las cadenas televisivas se nutren de gran número de programas producidos en los Estados Unidos. Y en segundo lugar, la tecnología y las escuelas de imagen estadounidenses –que dan prioridad a los contenidos violentos– ejercen una gran influencia en la formación de guionistas, directores y actores.

Por tanto, este sistema tiende a perpetuarse, reforzado por el hecho de que al público parece que le gustan los tiros, los puñetazos, los accidentes y las catástrofes, y demás formas de violencia.

Pero la violencia en la televisión no es solo una forma más de pasar el rato. Su influencia en la conducta de los pequeños ha quedado demostrada en repetidas ocasiones.

Desde 1960, Albert Bandura y sus colaboradores de la Universidad de Stanford han venido estudiando los **efectos** que las películas violentas tienen sobre los pequeños espectadores. Cuando los actores se presentan como atractivos y poderosos, los niños tienden a **identificarse** con ellos. Y si los personajes observados despliegan conductas violentas, los pequeños tienden a imitarlos en sus juegos, ejerciendo esa violencia de la misma forma y con parecida intensidad.

Pero los efectos de la violencia en la televisión pueden ir más allá de su simple repetición en el juego. Otras investigaciones han identificado una correlación entre la violencia y el **código ético** de los niños.

En concreto, la gente menuda expuesta a argumentos televisivos en los que la violencia remunera al que la practica, llega a concebir la misma como un camino legítimo para conseguir sus deseos. Si los héroes transgreden las reglas, los niños intentan hacer lo propio en la vida real. Cuando los niños se acostumbran a escenas violentas, tienden a **perder la sensibilidad** respecto a situaciones de agresividad en la vida real.

Además, los pequeños que observan la violencia como instrumento para conseguir algo, tienen dificultades a la hora de entablar diálogo y alcanzar un consenso, ya que saben que la fuerza puede proporcionar los resultados apetecidos en menos tiempo.

Finalmente, la continua violencia ejercida por el "malo" de la película impacta más decisivamente al niño que el castigo que aquel recibe al final; castigo que, por cierto, reviste a menudo un carácter igualmente violento.

2. El sexo y los estereotipos sexuales.
Las escenas de contenido sexual son cada día más frecuentes y accesibles a los ojos de los niños. Según parece, las productoras consideran que deben ir cada vez más lejos para llamar la atención del espectador. Además, el creciente número de canales acentúa la competencia y esto lleva a hacer del sexo un **reclamo** que atraiga a un número mayor de espectadores.

El principal peligro involucrado en esta cuestión es el tratamiento que se confiere a la sexualidad. A veces, las escenas eróticas se presentan como fuente de humor chabacano, ofreciendo una **imagen frívola** de la sexualidad y perpetuando su sentido tabú.

En otros casos, se presenta el acto sexual como una actividad incesante y aislada de una relación más profunda. Con mucha frecuencia se presenta a un hombre y una mujer que, tras verse por vez primera, aparecen al poco rato juntos en la cama.

Otro aspecto de la influencia televisiva es el de los **estereotipos sexuales**. Muchos anuncios publicitarios y películas contribuyen a la formación de estereotipos que ni son reales ni ayudan a un desarrollo social positivo.

Por ejemplo, en multitud de casos los varones aparecen como valientes, inteligentes, poderosos y situados en los más altos niveles profesionales. En cambio, con frecuencia (aunque esto tiende a modificarse por influencia feminista y de lo "políticamente correcto"), se muestra a las mujeres como incompetentes, dependientes, objetos sexuales y con profesiones medias o inferiores.

3. Fantasía. El televisor ofrece una imagen de la vida básicamente irreal. Los anuncios publicitarios muestran sujetos felices, seguros de sí mismos, con **posibilidades ilimitadas**. Las películas dibujan héroes invencibles con poderes sobrenaturales. El **tiempo** transcurre sin patrón fijo: dos minutos pueden ser dos minutos literales, o toda una vida resumida en cuatro escenas. Estos hechos confunden al pequeño, entorpeciendo su capacidad para distinguir, de modo progresivo, entre realidad y ficción.

En particular, la influencia sobre los niños de los héroes popularizados por la televisión, alcanza grados importantes. Sin caer en exageraciones grotescas acerca de los peligros derivados de tales modelos de ficción, vale la pena reflexionar en que su ejemplo sobre los pequeños puede suscitar **conductas imitativas dañinas**.

Para evitar que la televisión se convierta en el centro de la vida hogareña infantil, los padres han de velar por la educación integral de sus hijos, ofreciéndoles amenas y variadas alternativas: juguetes saludables, libros atractivos, recursos informáticos..., así como el margen adecuado para relacionarse activamente con hermanos y amigos en juegos y deportes.

Son conocidos casos trágicos de niños que han tratado de emular, con nefastas consecuencias, a estos seres poderosos (por ejemplo, el vuelo de "Supermán"); además, tales seres con frecuencia aparecen asociados a personajes mitológicos, lo que añade al problema una dimensión **ideológica** no desdeñable. En muchos casos, este componente pseudorreligioso refuerza eficazmente la creencia fantasiosa de los pequeños en la veracidad de las imágenes que contemplan, estimulando actitudes de confianza supersticiosa en poderes sobrehumanos.

A menudo, los propios productores de tales series televisivas comercializan juegos y juguetes asociados a ellas, apoyándose en el éxito de las mismas, y buscando a la vez que contribuyan a la causa de eternizar dichas series en la pequeña pantalla. Los **muñecos articulados** que representan a héroes y monstruos –algunos de ellos horripilantes–

se cuentan entre los juguetes preferidos por multitud de niños occidentales.

De este modo, el círculo se cierra: la televisión extiende así sus tentáculos al resto del tiempo de ocio infantil, y los mundos fantásticos propuestos por la pantalla ocupan con su engañosa ficción las horas libres de los niños.

Sin negar que la imaginación y el juego son componentes importantes en el desarrollo del niño, el peligro aparece cuando hay un **exceso de fantasía**. Este extremo puede hacer que el niño acepte el mundo imaginario de la televisión como una salida cómoda para evadirse de sus problemas.

Por todo lo visto, se comprenderá que con frecuencia nos encontremos con casos en los que la mente del niño está **prácticamente invadida** por los personajes de la pantalla con los que se ha identificado. Aun

continúa en la página 78

Juegos y juguetes educativos

Los juegos y los juguetes didácticos estimulan el desarrollo de las diferentes facetas intelectuales: verbal, espacial, numérica. De este modo, constituyen un eficaz y divertido complemento a la formación escolar, cuyos objetivos contribuyen a conseguir.

viene de la página 76

las horas de clase o de las comidas pueden llegar a estar ocupadas mentalmente con esos personajes.

Así es como el aprendizaje escolar, la relación social, la expresión verbal, y otras muchas tareas importantes de la niñez resultan amenazadas por la presencia de la fantasía televisiva.

4. Deterioro de la comunicación familiar. La familia, como todo sistema de relaciones humanas, necesita nutrirse regularmente con el intercambio de información, sentimientos, problemas y preocupaciones. Cuando este ámbito familiar funciona, el niño percibe la familia como la fuente predominante de apoyo. Esto satisface muchas de las necesidades psicológicas del niño.

Pues bien, la televisión puede ser el comienzo de la **ruptura** de estos vínculos psicológicos familiares al limitar drásticamente el número de horas de relación verbal directa entre los miembros de la familia.

Respecto a la televisión, es conveniente admitir que ayuda a despertar la imaginación hasta cierto punto, superado el cual puede coartarla o volverla demasiado fantasiosa.

Las ventajas de la televisión

A pesar de los múltiples riesgos de los programas televisivos, hemos de admitir que también ofrecen **aspectos positivos**. Hay ventajas de las que los niños en edad escolar pueden y deberían beneficiarse haciendo un uso equilibrado del televisor.

La televisión tiene los ingredientes necesarios para estimular una buena y completa instrucción. Al incluir la imagen, el movimiento, el sonido y los colores, la televisión hace del aprendizaje algo extremadamente **atractivo y significativo**. Si a esto le añadimos los efectos técnicos, nos encontramos con que la televisión constituye un poderoso medio de transmisión audiovisual.

Por otra parte, la televisión tiene la capacidad de sintetizar hechos de forma vívida, haciéndolos así **más impactantes**. Los documentos con imágenes lejanas en la distancia o en el tiempo, pueden captarse instantáneamente y compararse con sonidos e imágenes de aquí y ahora.

El material que presenta la televisión posee un **efecto especialmente motivador** de la atención y el interés del niño. De esta manera el aprendizaje resulta más atractivo que la información meramente verbal. Además, si el material emitido se ha grabado previamente, puede reproducirse, centrarse en las secuencias de especial interés, o incluso mostrarse a cámara lenta.

La cantidad de **información general** que un niño puede obtener a través de la televisión es inmensa. Datos sobre la actualidad internacional, la ciencia y la tecnología, la informática, la naturaleza, la geografía, etcétera, se hacen fácilmente disponibles a través de muchos programas que se emiten habitualmente por la pequeña pantalla.

En cuanto al impacto del mensaje televisado sobre la **conducta**, hay investigaciones que han analizado el efecto de los guiones con personajes dotados de buenos sentimientos y con rasgos deseables (por ejemplo, cooperación, altruismo, veracidad).

Los niños que presencian estos programas, por desgracia escasos, tienden a desplegar el buen comportamiento de sus personajes. Esto es algo que se ha llegado a utilizar, incluso, como estrategia para la recuperación de delincuentes juveniles.

Más aún, la mera función recreativa de la televisión puede resultar beneficiosa para llenar parcialmente el **ocio** del niño. Las películas de humor o aventuras, así como los dibujos animados (no todos), los encuentros deportivos, los programas de juegos y concursos, sin ser enteramente instructivos, permiten una opción positiva y agradable para el tiempo libre, siempre que no se consuman en exceso.

¿Qué hacer, pues, ante tan poderoso instrumento de comunicación?

De los estudios llevados a cabo en el campo de la televisión se desprende que la solución radica en:

- una **selección acertada** de los programas, y
- una **limitación de las horas** ante el televisor.

Creemos que la aplicación de estos dos sencillos principios corrige la inmensa mayoría de los problemas que se atribuyen a la televisión. Desafortunadamente, no resulta fácil si los niños y jóvenes cuentan con arraigados hábitos de visión indiscriminada y excesiva.

Los consejos prácticos presentados a continuación pueden ser un buen punto de partida para aquellos padres que deseen evitar los muchos problemas de la televisión sin necesidad de tener que tirar el aparato a la basura.

Consejos prácticos

La televisión constituye una herramienta útil y eficaz en el aprendizaje infantil; así que no parece lo más prudente despreciarla. Nuestra propuesta pues consiste en un **empleo racional** del medio televisual, para lo cual sugerimos ciertas líneas de acción:

1. **Seleccionar previamente los programas que desean verse.** Esta tarea ha de hacerse en conjunto, padres e hijos, con la programación televisiva en mano. A la hora de establecer los criterios de selección deberían considerarse aquellos programas que reportan un mayor beneficio a los pequeños, desde el punto de vista **didáctico, informativo** y también **recreativo**.

2. **Regular el consumo de espacios televisivos.** Sugerimos unas diez horas semanales de televisión para un niño en edad escolar. Esta cantidad puede variar en una u otra dirección, pero es de primordial importancia establecer un límite.

3. **Aplicar un eficaz método de dosificación.** Esto no resulta fácil. En muchos casos, el televisor crea dependencia y resulta laborioso romper los vínculos. Para ayudar a los niños a modificar sus hábitos, se han utilizado con éxito algunos métodos.

   Quizá uno de los más poderosos es el de la administración de puntos, vales, o boletos. Se entregan 10 vales (o el número que se haya convenido) a cada niño, lo que les da derecho a ver la tele durante una hora, dentro de la programación que por consenso familiar se ha considerado aceptable. Los niños escogen los programas que prefieran hasta agotar sus boletos. Algunos niños los gastarán los primeros dos días, otros los distribuirán en un sentido más proporcional. En todo caso, el sistema estimula a los niños a **aprender a administrar** lo que tienen. El método ayuda a valorar más lo que se ve en la televisión y a sacar el máximo provecho de sus mensajes.

4. **Una vez visto un programa, conviene hablar sobre él durante unos minutos.** Al hacer esto, la influencia de un mensaje negativo puede tornarse positiva con el **tratamiento paterno opor-**

Como queda dicho, el control y la dosificación paternos de las horas y programas de televisión que ven los hijos, es una valiosa herramienta para evitar perniciosos "enganches". Si además los progenitores acompañan a sus hijos en la contemplación de ciertos espacios, una tertulia posterior permitirá oportunas aclaraciones complementarias, de importante valor educativo.

tuno. Esto exige apagar el televisor y debatir el asunto, lo cual puede resultar desagradable para el niño. Por ello es bueno ponerse de acuerdo desde el principio de la emisión.

5. Evitar que se vea la televisión justo antes de la hora de dormir. Esto resulta especialmente necesario si se trata de **programas dramáticos o excitantes**. Y en cualquier caso ha de evitarse que los niños permanezcan ante el televisor durante periodos prolongados.

6. Cuidar los detalles ambientales. Se trata de evitar que las imágenes puedan dañar la vista o causar dolores de cabeza. Asegurarse de que hay una **recepción adecuada** para evitar daños en los ojos. Mantener **luz ambiental** en la sala en la que se ve la televisión. Mantener

una **distancia idónea** frente al televisor (cinco veces el tamaño de la pantalla como mínimo).

7. Ofrecer alternativas de interés para reducir el número de horas ante el televisor. Esto resulta de vital importancia. El paseo, el juego, los deportes, la tertulia y la lectura son algunos ejemplos de tareas constructivas y amenas que, compartidas entre padres e hijos, sin duda cosecharán resultados muy positivos y llenarán el vacío que la televisión pueda dejar.

Por supuesto, los padres deben ofrecer *el mejor ejemplo* a sus hijos en este sentido. No es justo limitar la tele a los niños cuando estos pueden comprobar que los padres, por su parte, no restringen sus hábitos lo más mínimo.

Videojuegos y ordenadores, ¿una mera distracción?

En los últimos años la tecnología y la cibernética han avanzado a velocidad de vértigo y se han introducido en nuestras vidas tan profundamente que se han tornado imprescindibles. Un uso adecuado de sus posibilidades reporta **innumerables beneficios**, pero el abuso y el empleo erróneo de los nuevos medios técnicos (ordenadores o computadoras, juegos de vídeo, Internet...) acarrean efectos negativos, en especial para los niños –recuérdese, los más vulnerables–, que pueden verse envueltos en una espiral imprevisible.

Los pequeños que en los primeros años de su vida ven **televisión en exceso** son los mejores candidatos para pasarse, años más tarde, horas y horas delante de la pantalla de la videoconsola o del ordenador. Esto, en algunos casos, podría derivar posteriormente en una adicción a las salas de juegos.

Otro riesgo que conlleva el uso indiscriminado de estos aparatos es que puede generar **actitudes agresivas**. Uno de los primeros videojuegos que salieron al mercado consistía en conseguir el máximo de puntos matando "marcianitos". Hoy son mucho más sofisticados, con una mejor resolución en la imagen y mayor complejidad, pero el argumento de muchos de ellos sigue siendo el mismo: matar.

En ocasiones, se ha asociado la afición a este tipo de videojuegos con crímenes realizados por niños o adolescentes. Un caso reciente fue el de la matanza de Denver, donde unos adolescentes asesinaron a 16 compañeros suyos del instituto. En sus casas se hallaron los mismos videojuegos que emplean los 'marines' en su preparación para la guerra. Los comercializan empresas privadas, que los dirigen al público infantil y adolescente.

Cuando el niño se halla delante de la pantalla de una videoconsola o un ordenador puede manipular el **mundo irreal** que allí aparece.

Su estrecho contacto con la **realidad virtual** puede cambiar su visión del mundo. El problema se agudiza con Internet, ya que los pone en contacto con la realidad más global (virtual o efectiva) y más candente, pero del modo más artificial.

Para **saber si su hijo pasa demasiadas horas** delante de estos aparatos observe si muestra estos síntomas:

- **ojeras** por las mañanas,
- disminución en su **rendimiento** escolar,
- cambios en la **conducta habitual**, y
- **ensimismamiento**.

Para impedir que surja la adicción tenga en cuenta las siguientes indicaciones:

- Dedicar **más tiempo** a los niños, vivir en familia experiencias gratificantes como viajes, práctica de algún deporte, bricolaje... Todo esto contribuirá a que dediquen menos tiempo a las máquinas.
- Un niño ha de estudiar, hacer las más diversas tareas, y por supuesto jugar y estar con los amigos, pero no debiera dedicar sus **mejores horas** a entretenerse delante de un ordenador (computadora) o una videoconsola.
- Los niños **tímidos e introvertidos** precisan una atención especial en este sentido, ya que pueden encontrar en las máquinas el "amigo" que no tienen en el mundo real.

4

El carácter
y la personalidad

MARIO tiene ahora diez años y sus padres están muy satisfechos con él. Todos los informes escolares son buenos, se lleva bien con sus amigos y es, por lo general, obediente. El muchacho, además, tiene buen corazón y suele estar dispuesto a ayudar a los demás. Hace un par de años atravesó una época en la que se sentía inferior, incapaz, impotente para realizar ciertas tareas. Pero esa etapa ya la ha superado. Es probable que en dos o tres años tenga que encarar nuevas dificultades psicológicas y afectivas, ligadas a la compleja edad de la adolescencia. Debido a su estilo un tanto frío, a sus padres les gustaría que Mario fuera más hablador, más cariñoso, y más sociable.

Por su parte, Cristina, su hermana de cinco años, que hasta ahora era obediente y tranquila, ha experimentado un gran cambio en su personalidad. Se ha vuelto muy ruidosa y parece que tiene los nervios a flor de piel; además, quiere salirse siempre con la suya, y esto sus padres no lo toleran. A su hermano lo incordia de conti-

> Cuanto más alto va a ser un edificio, más profundo se cavan los cimientos.
>
> **AGUSTÍN DE HIPONA**
> Teólogo y escritor cristiano
> 354-430

> Los edificadores del carácter no deben olvidarse de poner un fundamento que permita que la educación sea el máximo valor. Exigirá abnegación, pero hay que hacerlo.
>
> **ELLEN G. WHITE**
> Educadora norteamericana
> 1827-1915

nuo, y a menudo acaban peleándose. A pesar de las amenazas, Ana persiste en su actitud. Una de las cosas que más irrita a sus padres es que cuando llega la hora de ir a la cama, se niega rotundamente. Es preciso un largo debate, con varias llantinas incluidas, para convencerla de que es hora de dormir. En esos momentos, los padres se preguntan: «¿Qué podemos hacer?»

Mario y Cristina, a pesar de ser hermanos, son niños con distintas maneras de ser. Ello se debe, por una parte, a diferencias individuales en la personalidad, y, por otra, a los cambios que por razón de la edad se suceden. Mario, que por naturaleza es callado y pacífico, está ahora atravesando una etapa que favorece la introversión de cara a su familia, al tiempo que lo hace más hablador con sus compañeros y amigos. Por su parte, Cristina atraviesa una fase normal en su desarrollo social que, unida a su propia personalidad, la vuelve bastante explosiva. En realidad, lo que quiere es relacionarse con la gente, pero siendo ella misma la iniciadora, la que marque la pauta. Lógicamente, esto contrasta con la Cristina de hace un año, que escuchaba las instrucciones de sus padres y las seguía más o menos fielmente.

Aparte de entender este fenómeno, los padres de Mario y de Cristina, que están especialmente preocupados por su hija, necesitan hacer planes para pasar más tiempo con ella. Tienen que jugar, conversar y hacer cosas en conjunto, escuchando sus sugerencias y llevándolas a cabo cuando resulte posible. Su necesidad actual será satisfecha, y en unos meses la situación se habrá normalizado.

Durante la niñez existen muchos **altibajos** en el carácter, las emociones y la personalidad. En este capítulo explicamos los aspectos más sobresalientes de esta faceta del desarrollo infantil. El **conocimiento** de ciertos principios de la **psicología infantil** puede ser la **clave para el éxito** en las relaciones entre los mayores y los pequeños.

Quienes conocen y entienden estas etapas cuentan con el punto de partida para establecer soluciones válidas. Por su parte, quienes las ignoran corren el riesgo de caer en la incomprensión respecto a los niños, y de acabar inmersos en una batalla de la que ninguno de los bandos saldrá vencedor.

El desarrollo del carácter

«Mi hijo tiene mucho carácter; esta mañana, por ejemplo, se ha enfadado con su hermana y ha dicho que no iba a acompañarla al colegio. ¡Cuando se le mete algo en la cabeza, no hay quien le haga cambiar de opinión!»

La expresión anterior muestra una acepción del término 'carácter' que no corresponde al concepto psicológico. Con frecuencia se emplea este vocablo como sinónimo de **fuerza o testarudez**, especialmente si se habla de un "carácter fuerte". Es quizá una forma elegante de referirse a quienes tienen mal genio.

El carácter incluye mucho más. Derivado del verbo griego kharasso (grabar, acuñar), y referido a los seres humanos, la palabra 'carácter' se ha venido utilizando durante siglos para indicar el modo de ser peculiar y privativo de cada persona. Más concretamente, el carácter hace referencia a las **cualidades morales** del individuo, que es precisamente el sentido que ha tomado en la psicología contemporánea.

La **personalidad** es diferente del carácter. La primera abarca toda la configuración de **comportamientos peculiares** que distinguen a un individuo; mientras que el carácter se refiere a las conductas que tocan aspectos morales o éticos.

Gordon Allport, uno de los psicólogos humanistas más relevantes del siglo XX, define el **carácter** como la **personalidad evaluada desde el punto de vista ético**. De esta manera, una persona de "buen carácter" sería alguien que reflejase en su conducta, por ejemplo, buena voluntad, res-

continúa en la página 86

El proceso de la formación del carácter

Reza un sabio adagio: "Siembra un pensamiento y cosecharás un acto, siembra un acto y cosecharás un hábito, siembra un hábito y cosecharás el carácter, siembra el carácter y cosecharás un destino."

Ejemplo: ¿Cómo se edifica el respeto y la consideración por los demás?

1. **Motivo:** Pilar tiene 6 años y está jugando a la pelota en un parque. Se da cuenta de que a poca distancia hay otra niña, algo más pequeña, que tiene una cuerda de saltar. Pilar siente la necesidad de tener esa cuerda y saltar con ella.

2. **Pensamiento:** Se dice: «Voy a quitársela y saltar.»

3. **Acción:** Pilar aparece súbitamente, le quita la cuerda de las manos, la empuja y empieza a saltar. La otra niña llora desesperadamente.
Supongamos que nadie reacciona ante este comportamiento.

4. **Hábito:** Pilar repite la misma acción con otros niños y con otros juguetes en nuevas ocasiones. Pero las consecuencias de su acción no le reportan ningún castigo; de

hecho, solo experimenta la sensación placentera de jugar con el juguete de su capricho durante un buen rato.

5. **Carácter:** La repetición de este tipo de conductas no solamente es un hábito, sino que ya forma parte del repertorio personal de Pilar y llega a ser su forma de ser peculiar. Se ha convertido en una niña a la que no le importan los sentimientos de los demás y que satisface sus deseos por la fuerza. La modificación de esta conducta resulta ahora difícil.

El esquema habría funcionado de modo **muy diferente** si en la fase de la **acción**, la madre o el padre de Pilar hubiesen evitado la violencia de su hija, aconsejándole **otros métodos** (como pedir a la otra niña la cuerda durante un rato a cambio de la pelota de Pilar).

Por otra parte, imagínese el lector las consecuencias de una aprobación externa como, por ejemplo, la de su padre, diciéndole: «No te preocupes si llora; al fin y al cabo, es una niña tonta... si tú no miras por ti nadie lo hará.»

La conducta traería consigo nada menos que dos **recompensas** que la reforzarían doblemente: el placer de jugar con el juguete y la aprobación del padre. La adquisición del hábito estaría garantizada y, con las sucesivas repeticiones, la formación de este aspecto negativo del carácter, también.

Entre los dos y los tres años, el niño adquiere mayor autonomía y ya es capaz de efectuar por su cuenta algunas tareas –como alimentarse–, siquiera sea de modo parcial. Paralelamente, su conducta empieza a evidenciar rasgos y modales cada vez más peculiares, que hacen ya de él un individuo único.

viene de la página 84

peto y tolerancia, deseos altruistas, responsabilidad, fidelidad a sus principios.

Aunque es preciso reconocer que existen ciertas **predisposiciones genéticas** que inclinan a los niños a uno u otro tipo de carácter, en términos generales el carácter se forja y se nutre por la **influencia del entorno**. Y es precisamente la niñez la etapa de mayor capacidad de absorción en lo que se refiere al carácter. El cuadro de la página anterior muestra un modelo de la formación del carácter.

Parece evidente que dicha formación es un proceso lento que se engrosa por medio de la acumulación de pequeños **actos** que llegan a formar **hábitos,** y que tienen su origen en el **pensamiento**.

Insistimos en la *importancia de los padres* en el desarrollo del carácter de sus hijos, ya que existe sobrada evidencia de que los padres son los agentes de mayor influencia en el carácter infantil.

Un famoso estudio que, realizado en los años sesenta del siglo XX, ha pasado a la historia de la psicología, pone de manifiesto este hecho. *Robert Peck,* de la Universidad de Tejas, y *Robert Havighurst,* de la Universidad de Chicago, después de varios años de exploraciones psicológicas, sondeos y entrevistas a padres, niños, profesores y miembros de la comunidad, llegaron a la conclusión de que existen varias **fuentes de formación del carácter** (entre ellas, se mencionan los demás niños, el ambiente local, el colegio y la iglesia), pero la más significativa de todas es la **familia**. El estudio y sus resultados en detalle se publicaron en un libro titulado *The Psychology of Character Development* (La psicología del desarrollo del carácter). De esta obra transcribimos el siguiente párrafo:

«Una conclusión general que no se puede omitir es que el carácter del niño es el producto directo, **casi** una **reproducción**, de la forma en que sus padres lo tratan. Se comportará con otros de la misma manera en que sus padres se porten con él» (el destacado es nuestro).

Es natural que los padres deseen tener hijos dotados de un buen carácter. A la pregunta sobre lo que pueden hacer para que sus hijos desarrollen un carácter adecuado, ofrecemos en el cuadro de la página contigua unas consideraciones generales que pueden servir de guía para este objetivo.

La personalidad infantil

Desde que el niño cumple los dos años hasta que alcanza la pubertad, pasa por una serie de cambios importantes motivados por las demandas de cada etapa. Según *Erikson,* la principal necesidad del niño de 2-3 años es adquirir un grado importante de autonomía, mientras que a los 4-6 años necesita un sentido de iniciativa. Y cuando entra de manera formal en el ámbito escolar, se enfrenta al reto de la adquisición de laboriosidad cara al aprendizaje escolar.

Cómo colaborar en el desarrollo del carácter del niño en edad preescolar

La herencia no es definitiva. Es el ambiente en que se desarrolla la vida del niño, y de manera especial el ejemplo de los padres, el factor más influyente en el desarrollo del carácter.

- **Formar buenos hábitos.** La ejecución repetida de un acto, hasta convertirse en hábito, es algo decisivo para alcanzar un carácter determinado. Por ello, la enseñanza de los comportamientos deseables mediante la **repetición,** se hace especialmente necesaria en la edad infantil, sobre todo en la etapa preescolar.

- **Ofrecer un buen ejemplo.** En cuestiones de carácter, el ejemplo constituye el **mejor método de enseñanza.** Los niños tienden a reproducir, casi automáticamente, el comportamiento de aquellos a quienes admiran, y no hemos de olvidar que los padres son sus héroes favoritos.

- **Ser consecuente.** La congruencia desempeña un papel fundamental en la formación del carácter. Desaprobar la mentira y luego decir: «Si llaman por teléfono, diles que no estoy», confunde al niño y lo incita a imitar la conducta en vez de seguir el consejo moral.

- **Establecer límites.** Saber con claridad dónde acaba lo **correcto** y empieza lo **incorrecto,** o dónde acaba lo **admisible** y empieza lo **inadmisible,** ayudará al niño en el proceso de su formación.

- **Educar en valores espirituales.** La espiritualidad que toma como ejemplo a hombres y mujeres de probada honradez y veracidad, puede llegar a ser una fuerza transformadora aun de los caracteres más difíciles (ver el capítulo 9, "**La familia y los valores**", pág. 167).

En efecto, el niño de 2-3 años empieza a percatarse de que cuenta con **cierta autonomía.** Comienza a comer solo, a intentar vestirse, a controlar sus esfínteres, y sobre todo, a utilizar el lenguaje hablado para expresar sus pensamientos y deseos.

Los niños en esta etapa se sienten más seguros de sí mismos pero, al propio tiempo, esta autonomía los lleva a mostrar ya su manera peculiar de conducirse, de tratar con otras personas, y de llevar a cabo sus juegos y tareas.

Esta etapa sienta las bases de una **autoestima saludable** y es muy importante que los padres tengan en cuenta cómo apoyar las necesidades propias de esta edad.

Una excesiva protección paterna no es recomendable en este momento. Pensemos, por ejemplo, en los intentos de comer solo que puede hacer un niño de tres años. Resultaría más limpio, cómodo y eficiente darle de comer que dejarle comer solo. Sin embargo, las actividades de este tipo constituyen un paso importante hacia una independencia sana que evitará la inseguridad personal.

Al llegar a los 4 o 5 años los niños necesitan adquirir **iniciativa** y no desarrollar

Desde su ingreso en la vida escolar propiamente dicha, los intereses del niño pueden orientarse más definidamente hacia tareas que requieran cierto grado de laboriosidad y concentración. Los padres deben estimular esta nueva faceta.

sentimientos de culpa, que es el riesgo de esta edad. Ahora ya están preparados para llevar a cabo tareas que ellos mismos inician, sin la necesidad del estímulo paterno. Es una etapa de exploración de cosas nuevas a través de la experiencia, los juegos y el lenguaje.

Este deseo de exploración está muy acentuado a esta edad, y si los padres lo reprimen por medio de innumerables obstáculos, poniendo el cartel de "malo" o "prohibido" a infinidad de objetos y actividades, el niño puede desarrollar excesivos **sentimientos de culpa**.

Sin embargo, hay que cuidar de no deslizarse hasta el otro extremo, consistente en dejarle hacer lo que se les antoje. La **excesiva permisividad** y la **rigidez absoluta** han de evitarse. Sugerimos que los padres identifiquen una serie limitada de comportamientos que no deben ser tolerados bajo ningún concepto.

Cruzar la calle solos, mentir deliberadamente, rebelarse de manera violenta contra los padres, hurtar algo de un comercio sin pagarlo... Son conductas intolerables cuya prohibición ha de quedar bien clara en la mente del niño preescolar, quien por su parte tiene la capacidad intelectual suficiente para comprenderlos y actuar responsablemente. Si el niño desoyese tales prohibiciones habríamos de tratarlo con **firmeza** (véase el capítulo 5, *"La disciplina"*, pág. 97). Pero en relación con otras conductas no se debería atosigar al niño con incontables prohibiciones que deterioran la relación paterno-filial y acentúan el riesgo de un excesivo sentimiento de culpa en el pequeño.

Cuando el niño entra de lleno en la **vida escolar** (a partir de los 6 años), su mundo social cambia radicalmente y sus necesidades psicológicas también. Ahora es momento de realizar tareas con un determinado nivel de calidad cuya ejecución proporcione al niño un **espíritu de laboriosidad**, de cumplimiento de los deberes escolares. Se trata de un espíritu muy sano que previene contra el sentimiento de inferioridad.

Es esta una etapa fundamental en la formación de lo que más tarde llegará a ser la personalidad del joven y la del adulto. La etapa escolar marca profundamente el resto de la existencia de la persona. Es necesario, por tanto, que los padres adquieran un **papel protagonista** en el apoyo de sus hijos en todo lo que tiene que ver con el mundo escolar. Y esto no solo para favorecer el éxito académico sino también un mejor ajuste social y emocional.

A lo largo de la vida psíquica del niño, se presentan etapas que traen consigo cierta turbulencia. Hay multitud de problemas que suelen ocultar algún **conflicto psíquico**. Son ejemplos de ello los miedos infantiles, la tartamudez, los tics o la hiperactividad. Abordamos estos trastornos en los cuadros de *"El Consejo del Psicólogo"* (págs. 90-95) de este capítulo, que ofrecen al lector orientaciones prácticas a la hora de tratar estos y otros conflictos perturbadores de la vida familiar.

Cómo favorecer la adquisición de una personalidad equilibrada

Al igual que para conseguir un desarrollo físico óptimo es necesaria una correcta alimentación, la satisfacción de las necesidades básicas psicológicas es determinante para la consecución de un desarrollo mental normal y equilibrado. He aquí las más importantes.

- **La seguridad afectiva.** Es la **primera necesidad** que el niño manifiesta. Incluye el cariño, una cálida atmósfera familiar y la comprensión. Esto lo ayuda a autoafirmarse.

- **La autoestima.** Es la comprensión y la valoración de la dignidad personal, está muy unida a la **autoconfianza** (seguridad en sí mismo)

  Aunque fomentarla de modo desproporcionado resulta perjudicial, el niño la necesita en la medida adecuada para no sentirse temeroso, inseguro, retraído o acomplejado.

- **Sentimiento de aceptación.** Se desprende de la naturaleza social del niño y tiene una raíz afectiva.

Si el niño ve satisfechas estas necesidades, se afianzarán la alegría, la dignidad, la confianza y un correcto desarrollo de la personalidad. En cambio, si estas necesidades no se hallan debidamente cubiertas, la sensación de fracaso, frustración y descontento puede originar unos mecanismos de defensa erróneos.

"Ahora vuelve a tartamudear"

Nuestro hijo de 10 años tartamudeó un poco cuando tenía 5 o 6 años, pero se le pasó enseguida. Ahora vuelve a tartamudear, y no sabemos qué hacer. Estamos muy disgustados y perdemos la paciencia cuando va a contarnos algo y no arranca. ¿Por qué le pasa esto a nuestro hijo? ¿Qué podemos hacer para ayudarlo?

El problema de su hijo –técnicamente llamado **disfemia**– no es solamente de base orgánica, sino también psicológica. Por ello, el problema tiende a aparecer cuando el niño atraviesa momentos de tensión, ansiedad o conflicto.

Las causas de la disfemia son múltiples. Puede ser **hereditaria**; el 30%-40% de los niños tartamudos tienen padres que fueron o incluso son tartamudos. También puede ser un mal contraído durante la **gestación**: los estados anímicos negativos de la madre embarazada a veces se encuentran asociados con este problema. Las situaciones de **ansiedad**, si son los suficientemente intensas (un susto terrorífico, un accidente...), pueden producir tartamudez.

La falta de afecto paterno, con **castigos excesivos y reprimendas constantes**, casi siempre produce inseguridad y la disfemia es una de las manifestaciones de esa inseguridad.

Pruebe los consejos siguientes:

- **Nunca lo ridiculice** o muestre impaciencia o disgusto por su condición. La disfemia tiende a descender en momentos relajados y si él nota lo contrario, el problema se acentuará más.

- **Invítelo a que hable despacio**. La mayoría de los niños que padecen disfemia quieren decir muchas cosas en poco tiempo. Como resultado, aparece la típica **taquilalia** (repetición múltiple de una síla-

ba) que identifica inmediatamente al tartamudo. Lo mejor es que piense primero lo que va a decir y cómo lo va a decir. Y, a continuación, que comience a hablar despacio.

- **Muestre aprobación** cuando consiga pronunciar una o más frases sin tartamudear. Alégrese por los logros aun cuando estos sean pequeños.

- La **lectura**, por parte del niño, de un libro **en voz alta** constituye un buen ejercicio con poca probabilidad de tartamudeo, siempre que se propicie un ambiente distendido.

- El entrenamiento con **metrónomo** es una técnica usada con éxito por muchos psicólogos infantiles. El niño lee o habla al ritmo que marca el metrónomo. Conforme va haciendo progresos, se aumenta la velocidad del aparato. Las consultas de psicólogos disponen de este instrumento.

- Finalmente, recuerde que los resultados de la recuperación de la tartamudez no vienen de inmediato. Es necesario tener **paciencia** y esperar mejoras lentas.

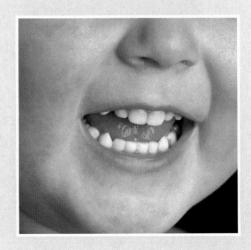

"Todavía se chupa el pulgar"

Mi hija tiene cuatro años y todavía se chupa el pulgar. Suele hacerlo durante la noche, cuando está cansada, o cuando se siente insegura por algo. El dentista me ha dicho que chuparse el dedo deforma la posición correcta de la dentadura. ¿Qué podemos hacer para que este hábito desaparezca?

La conducta de chuparse el dedo responde a una necesidad de seguridad y de satisfacción. Desde antes de su nacimiento, el bebé suele chuparse el pulgar dentro del útero.

La **zona bucal** es la fuente principal de placer y seguridad para el recién nacido y el niño en sus primeros años de vida. Se trata de la vía de alimentación y de contacto con el pecho materno, que son fundamentales en la supervivencia física y psicológica. Una vez alcanzada cierta madurez física y emocional, chuparse el dedo (o el chupete) se torna innecesario.

¿Qué hacer en casos como el suyo?

- En primer lugar, **evite las regañinas**. El niño que se chupa el pulgar tiene un control limitado sobre este hábito. En muchos casos, es un impulso inconsciente que, si se elimina durante las horas de vigilia, aparece en las horas de sueño.

- El paso más importante es encontrar las **raíces afectivas o emocionales** del problema. Piense en cualquier pequeño conflicto que su hija pueda estar atravesando. Hable con su niña. Aun cuando su lenguaje sea incompleto, ayúdela a que hable de ese conflicto. Cuéntele alguna historia con final feliz en donde ese conflicto se resuelve. Estas conversaciones le proporcionarán alivio y ayudarán a que el síntoma desaparezca.

- A veces el hábito se debe a algún reflejo de tipo motor que se transformó en hábito y ahora es difícil de erradicar. Otras veces, el problema de raíz ha desaparecido ya y el hábito continúa por inercia. En estos casos, pueden utilizarse **barreras físicas**; por ejemplo, explicar a la niña los problemas de chuparse el dedo y decirle que vamos a ponerle unos guantes durante la noche. También puede recurrirse a recompensas por no chuparse el dedo. Estos sistemas no deberían utilizarse cuando se sospecha que la raíz es emocional.

- Finalmente, **no se angustie** si los resultados tardan en llegar ya que, en la inmensa mayoría de los casos, los niños que se chupan el dedo se sobreponen al problema y abandonan el hábito sin intervención alguna.

"No soporta la oscuridad"

Mi hija de 5 años no soporta la oscuridad. Tenemos que dejar la luz de su habitación encendida toda la noche. Cuando la apagamos cuando ya está dormida, se despierta dando gritos y llorando porque la luz está apagada. Además tiene miedo de los perros, aunque los vea a distancia. En realidad, creo que tiene miedo de todo lo nuevo y extraño. ¿Hay algo que podamos hacer para ayudarla?

Hemos de entender que el temor es una **reacción natural** que responde al instinto de supervivencia humano. Los adultos solemos tener miedo de objetos o experiencias que realmente pueden hacernos mucho daño, como el fuego, el mar embravecido o los automóviles a gran velocidad. De la misma manera, los niños poseen este comportamiento reactivo, aunque es cierto que, en su caso, es mucho menos racional.

La edad preescolar (entre 2 y 6 años) es la etapa que, por lo general, alberga la mayor incidencia de temores irracionales de toda la vida. Estos temores reciben el nombre de **miedos evolutivos,** por ser propios de la edad y desaparecer a medida de que se va creciendo.

Los más frecuentes son el miedo a la oscuridad, a la soledad, al agua (playa, piscina...), a las tormentas (truenos y relámpagos), a los animales (insectos, perros, osos, leones...) y a los personajes ficticios (monstruos, fantasmas...). El 75% de los niños en la edad preescolar experimentan alguno de estos temores de manera notable. A la edad de 7-8 años, el porcentaje desciende al 50%. Y para la edad de 11-12 años el porcentaje queda reducido al 5%.

Si los temores irracionales persistiesen al llegar a la pubertad y a la vez interfiriesen con las actividades de la vida normal, podríamos empezar a hablar de un miedo patológico que se denomina **fobia** y que puede requerir tratamiento profesional.

Por lo tanto, el comportamiento de su hija ofrece todos los indicadores de normalidad. Además, debido probablemente a las expectativas sociales, las niñas muestran mayor frecuencia de temores que los niños.

Ahora bien, mientras usted espera a que el problema se arregle por sí solo, trate de ayudarla siguiendo estos simples consejos:

- No permita que vea programas televisivos o películas de monstruos, gigantes, fantasmas, etcétera; ya que, para los niños, la línea divisoria entre la realidad y la **fantasía** es sumamente tenue y su imaginación se encargará de trocar en real lo imaginario.

- No manifieste una actitud general de **sobreprotección**; los niños protegidos en exceso tienden a creer que el mundo que los rodea se halla repleto de asechanzas y peligros.

- Busque **modelos de conducta positivos** a través de las compañías, cuentos o películas (por ejemplo, una niña de su misma edad que tenga un perro y juegue con él sin experimentar miedo alguno).

- Para el problema de la oscuridad, existen pequeños **pilotos** que pueden colocarse en el enchufe de la red eléctrica y permanecen encendidos durante la noche ofreciendo una mínima cantidad de luz que puede ser suficiente para acostumbrar a la niña a la oscuridad.

- **Nunca la ridiculice** («Ya eres mayor y te comportas como un bebé»), **ni utilice la lógica de los adultos** («Pero ¿tú ves algún monstruo aquí? Los monstruos no existen y los leones están en el zoo»).

"Un tic nervioso en el ojo"

Mi hijo de 9 años empezó a desarrollar un tic nervioso en el ojo izquierdo hace unos meses, y ahora parece como si formara parte de él. Especialmente cuando está nervioso muestra mayor intensidad y guiña el ojo repetidamente. Como en casa nos hemos dado cuenta de esto, tratamos de favorecer un ambiente relajado y le damos los que nos pide para no alterarlo. ¿Es una práctica correcta?

La buena voluntad de los miembros de su familia es loable, pero han de actuar con más prudencia.

Cuando ustedes le dan todo lo que pide para evitar que se ponga nervioso, están reforzando o recompensando el tic de su hijo, ya que él sabe que si no lo tuviese no conseguiría llevar a cabo sus deseos.

Por tanto, denle ustedes lo que corresponde, aun cuando tengan que negarle algo y esto produzca mayor estado de nervios y mayor actividad del tic.

La estrategia de acción familiar ante un tic es la de **mantener la naturalidad**. Hagan todo lo posible para que lleve una vida normal, sin sobreprotegerlo.

Uno de los mayores problemas es el de la **burla**, elemento que un niño de su edad encontrará inevitablemente en el medio escolar. Hable con su profesor o profesora del problema para que no consienta bromas, burlas o imitaciones del tic. Los niños pueden ser muy crueles hacia sus iguales. Además, sus compañeros ejercen una notable influencia en el curso de este problema.

Establecer una buena amistad con el grupo, y que los demás miembros lo acepten con naturalidad, es la mejor solución para su hijo. Los adultos pueden ayudar bastante en la formación de los grupos de amistad, especialmente a esta edad.

Por último, consulte al psicólogo infantil que, con toda probabilidad habrá tratado casos similares y, si es conveniente, indicará un **tratamiento psicoterapéutico**.

Tales tratamientos tienen un altísimo nivel de éxito y consisten en ejercicios de movimiento voluntario en el área opuesta al tic. El programa dura varias semanas, pero suele concluir con la desaparición del tic.

"Mi hijo es muy 'movido'"

Mi hijo de 8 años es muy "movido". No parece agotársele la energía. Los profesores siempre se están quejando. Los amigos solo le duran unas semanas porque se cansan de él. El médico me ha dicho que espere porque se le pasará; pero no sé hasta cuando tengo que esperar. Y lo que más me molesta es que las madres de otros niños me critican porque piensan que lo tengo mimado. Sin embargo, el niño se lleva sus castigos cuando los merece, lo que ocurre es que no le hacen efecto.

En efecto, la conducta caracterizada por un exceso de actividad es un problema que afecta a un buen número de niños y también a algunas niñas. Usted notará por propia experiencia que este exceso de actividad (también llamado **hiperactividad** o **hiperquinesia**) acaba con los nervios de quienes conviven con él. Usted, como madre, puede tolerarlo más pero a los demás adultos los crispa y culpan a la familia del niño.

Existen dos tipos generales de hiperquinesias: la de origen **neurológico** y la de origen **psicológico**.

El primero implica que la conducta hiperactiva se debe a un problema cerebral (hay demasiada activación en la red nerviosa).

El segundo indica que el niño simplemente tiene tendencia a la movilidad y es parte de su personalidad.

Por supuesto, los casos más graves son del primer tipo y se tratan generalmente con medicamentos y psicoterapia. El médico de la familia o el especialista en neurología puede aconsejar en este sentido, pero la medicación no logra resultados espectaculares.

Estas son algunas de las pautas de conducta recomendables para niños excesivamente activos:

- Sea muy **consecuente con las reglas**. Aunque estas pueden no ser muy estrictas para un niño hiperquinético, las que resultan especialmente razonables y oportunas, siempre han de ser respetadas.

- Mantenga la **voz serena** y el comportamiento tranquilo. A veces es difícil, pero para los adultos es siempre más fácil que para los niños, especialmente si estos sufren el mal que nos ocupa.

- Trate de evitar las órdenes de tipo negativo («no, eso no», «nunca vuelvas a hacer eso») y ofrezca **alternativas**: «¿Por qué no jugamos ahora al parchís? ¿Te gustaría ir a casa de los primos?»

- Establezca una **rutina** en las actividades del niño. Todas las comidas a la misma hora, las horas de juego y tipos de actividad organizados y con límites de horario.

- Al enseñarle algo difícil de hacer, en vez de dar instrucciones, **demuestre cómo hacerlo**. Repítalo varias veces y dígale que lo haga él. Cuando lo realice, felicítelo abiertamente. En ningún caso pretenda enseñarle varias cosas al mismo tiempo.

- Evite varios estímulos **simultáneos**. Por ejemplo, tener el televisor encendido a la hora de realizar las tareas escolares.

- Hágalo **responsable** de ciertas tareas domésticas que estén al alcance de su capacidad. Esto crea buenos hábitos y el niño se sentirá mejor.

- **Encauce su vitalidad y su energía** hacia algo positivo. El niño necesita una

buena dosis de ejercicio físico: deporte, juego o actividad motriz edificante.

- Evite situaciones de juego con muchos otros niños. Un compañero de juego es **suficiente**.

- Usted conoce los momentos previos a las explosiones de actividad. Cuando note esas señales trate de cortar el proceso **distrayéndolo** con otra conversación o actividad.

  - **Vigile la dieta**. Ciertos estudios atribuyen al azúcar y a los colorantes, aditivos y conservantes artificiales una función alteradora del sistema nervioso, capaz de generar hiperactividad y agresividad. Las frutas y los frutos secos son mejores que las golosinas de colores. (Para más información, véase 'Enciclopedia de los alimentos y su poder curativo', t. 2, pág. 32, obra del Dr. Jorge Pamplona, editada por Safeliz).

  - **Hable con sus profesores** abiertamente y comuníqueles sus planes. Manifieste que usted desea apoyar la tarea educativa de la escuela y que está dispuesta a colaborar en algún plan de ayuda para la corrección de este exceso de actividad.

95

5

La disciplina

DURANTE los últimos meses, Andrés ha estado sustrayendo dinero sistemáticamente del negocio de sus padres. Al principio no estaban seguros y solo eran sospechas, pues les costaba creer que su hijo de 11 años estuviese haciendo tal cosa. Pero finalmente el mismo Andrés confesó su falta. El dinero lo había gastado en golosinas, pequeños juguetes y en invitar a sus compañeros de la escuela. La cantidad no es exagerada, pero sus padres entienden que esta acción merece un severo correctivo a fin de que su hijo comprenda la seriedad de lo que ha hecho. De lo contrario, pequeños actos como este pueden dar lugar a otros de mayor gravedad social. Así que están pensando en no comprarle, por el momento, la bicicleta de carreras que le habían prometido. Le darán una buena explicación sobre el carácter inaceptable de su acción y sobre el castigo impuesto. Después harán un seguimiento cuidadoso para que no haya reincidencia.

Enmienda a tu hijo y te dará descanso y alegría.

SALOMÓN
Libro de los Proverbios XIX, 17
siglo X a.C.

Pero la disciplina no es solo la aplicación de **correctivos**. La disciplina es un proceso que se prolonga durante toda la vida. Al principio, las fuentes de disciplina son **externas**, pero a medida que pasan los años, la disciplina viene de uno mismo. Se trata de encarrilar a los niños en el camino que los conducirá a la **autodisciplina**.

En esta página y las siguientes hallará el lector una explicación sobre la disciplina, junto con los diversos aspectos que aparecen en relación con ella. También se ofrecen consejos y estrategias recomendables para los padres con hijos en edad infantil.

¿Qué es la disciplina?

Padres, maestros, psicólogos y pedagogos hablan de la disciplina y de sus resultados. Se trata de un concepto ancestral que aparece en cualquier grupo de seres humanos, ya sea grande o pequeño. Y por supuesto, las familias de cualquier sociedad o cultura también aplican alguna forma de disciplina con sus hijos.

Pero, *¿qué es la disciplina? ¿Cuál es su propósito?* Muchos destacan en la disciplina lo que tiene que ver con el **castigo**, la corrección o la represión; algunos la vinculan con el **respeto** y la consideración hacia los demás. Otros dicen que se conecta con el **temor** o la ansiedad. Y los hay que afirman que la disciplina tiene por objeto la formación de **buenos hábitos**, comportamientos agradables, actitudes obedientes y conducta recta.

La mayor parte de los psicólogos y pedagogos coincide en que la disciplina es la **educación para el autodominio**, que vuelve a la persona más responsable; la hace **más libre**, pero también más autocontrolada. Lo cierto es que para que la disciplina sea positiva y brinde buenos resultados, requiere un proceso educativo inteligente, sistemático y continuo.

La formación en la autodisciplina precisa promover conductas correctas que sean libremente aceptadas por el propio niño. La disciplina ha de ser, por tanto, **educativa**. Esta faceta abarca dos funciones: la preventiva, que se ejerce para evitar en lo posible que acontezca la conducta indeseable; y la correctiva, que se aplica después si, pese a todo, ha acontecido. Veamos ejemplos:

- Para ilustrar la **función preventiva**, pensemos en el caso de un niño de 2 o 3 años que insiste en subirse a una silla para tener acceso al fogón donde se prepara el alimento. Esta conducta conlleva un riesgo importante y su madre la reprime con el ceño fruncido, una regañina o incluso un azote. De esta forma está disciplinando a su hijo para prevenir un accidente o un hábito erróneo.

- La **función correctora** o terapéutica queda ilustrada con el caso de Andrés, presentado al principio del capítulo. Esta es quizá la función de la disciplina que resulta más notoria. Sin embargo, solo ha de ser utilizada cuando las circunstancias lo exijan, y en todo caso su objetivo ha de tener un carácter reparador.

¿Para qué sirve la disciplina?

Si no existiesen razones poderosas en favor de la disciplina, concluiríamos que no merece la pena su uso. Sin embargo, la disciplina atiende a una serie de necesidades muy importantes.

1. **Es un medio para alcanzar la autodisciplina.** La inmadurez propia del niño le impide en muchos casos tomar decisiones acertadas. Por tanto, la disciplina externa, bien aplicada ayuda a los niños a adoptar unos patrones de conducta que, en poco tiempo, llegan a ser hábitos.

En su proceso de crecimiento, el niño va descubriendo las ventajas de estos hábitos. También descubre que la adquisición de buenos hábitos no tiene por qué provenir del exterior, sino que puede ser fruto del autogobierno y del dominio propio. Así va adquiriendo la madurez e independencia necesarias para no precisar de la disciplina externa.

2. **Establece la autoridad paterna.** Mientras que la reafirmación de esta autoridad puede resultar peligrosa en el joven, se hace necesaria en la edad infantil. Al desafiar las órdenes o consejos de sus padres, el niño está verificando la **fuente de control y autoridad**.

Los propios niños, en sus grupos de relación, necesitan saber quién es el más fuerte y, por ello, llevan a cabo juegos, peleas, retos, etcétera, que dejan clara esta jerarquía. En el ámbito familiar, si se le permite al niño "ganar" la batalla, verá la autoridad paterna mermada considerablemente y la suya propia crecida. De esta forma se equipa al niño con un **poder desmesurado** para sus posibilidades, que acabará utilizando para la satisfacción de sus caprichos y la manipulación de los adultos. Como es natural, el control sobre el niño ha de ir atenuándose progresivamente con la edad.

3. **Por último, sienta límites que dan seguridad al pequeño.** Los límites, las prohibiciones y el uso de la autoridad paterna, ejercidos razonablemente y acompañados de afecto, proporcionan seguridad al niño. Ello se traduce en un **desarrollo emocional sano** y en una relación positiva de los niños con sus padres.

En el ámbito de la psicología infantil se ha comparado la **actitud desafiante** o demandante de los niños con la del vigilante jurado que con frecuencia gira el picaporte y suavemente empuja las puertas que están bajo su custodia. No hace esto porque quiera penetrar por ellas, sino porque confía en que estarán bien cerradas, lo cual le da la necesaria seguridad.

Un fenómeno análogo se observa cuando los padres instruyen al pequeño para que no pise la calzada mientras no han de cruzar. Prácticamente todos los niños intentarán poner un pie en el territorio prohibido. Y mientras lo hacen, mirarán con atención al adulto esperando la reac-

Como parte de la disciplina realmente educativa, la represión oportuna y mesurada refuerza en el pequeño el sentimiento de que sus padres velan por su seguridad y por su correcto desarrollo moral. Para cumplir este noble objetivo, la disciplina ha de ser firme y amorosa al mismo tiempo.

ción. Ese es el momento crítico para recordar la prohibición en **tono amigable**, lo cual proporcionará al niño la seguridad psicológica esperada.

Cómo disciplinar

La correcta disciplina que influye en el desarrollo de un buen carácter se ha de enseñar pronto en la vida. Probablemente es a partir del nacimiento mismo cuando el niño va aprendiendo comportamientos básicos que lo guiarán en su alimentación, en su descanso, en su higiene y en sus juegos. Este aprendizaje continuará durante toda su existencia. A medida que crezca, irá adqui-

Precauciones relativas a la disciplina

- **Evitar las actitudes sobreprotectoras o permisivas.** Estas posturas se presentan por un afecto mal entendido. Sin embargo, llegan a minar el carácter y constituyen barreras cuando el niño, ya crecido, ha de soportar reveses, esfuerzos o tiene que tomar decisiones fundamentales.

- **Eludir las actitudes severas.** Es la postura de los padres duros, impositivos, que no dejan lugar para el diálogo, imponen su parecer y no respetan la individualidad infantil. Esta conducta paterna produce resultados desastrosos en los pequeños, ya que desvirtúa la personalidad, aplasta la voluntad y provoca condiciones de angustia, inhibición y desconfianza.

- **Evitar las críticas, las acusaciones, las sospechas y las comparaciones odiosas.** Estas actitudes no contribuyen al clima de comprensión y producen efectos contrarios a los deseados, como la tozudez, la rebeldía, la timidez, la actitud apática y la indiferencia. Lo que es peor, en esos niños se despierta un íntimo y constante sentimiento de rencor, de desconfianza o de temor que provoca un **rechazo** hacia sus padres.

- **Utilizar la firmeza y la comprensión.** La actitud firme y comprensiva, que respeta la voluntad de los niños con métodos persuasivos y razonando con ellos, ofrece el justo término medio para el ejercicio de la disciplina. Cuando los padres se mueven en este ámbito de equilibrio, los niños, a medida que crecen, van entendiendo y aceptando las causas y los efectos de su comportamiento. Así llegan a apreciar la necesidad de la disciplina.

riendo **principios de conducta** en todos los órdenes de la vida, que le servirán para hacer frente a los deberes, crisis y responsabilidades que ella le irá deparando. En el cuadro superior ofrecemos algunas advertencias a tener en cuenta a la hora de disciplinar.

Un componente de suma importancia en la disciplina es el **apoyo emocional**, el tono afectivo que ha de utilizarse cada vez que se disciplina. En el sur de Italia conocimos a una excelente profesora, hija de un rico agricultor, quien nos confesaba que amaba a su padre como hombre trabajador que se había esforzado en darles a sus hijos no solo una condición económica más próspera, sino también unos estudios superiores. Sin embargo, lo recordaba como un hombre severo, duro y parco afectivamente. «Nunca se olvida de mi cumpleaños –decía– y siempre me hace un buen regalo, pero jamás me da un beso… Un día le pedí que lo hiciera; le costó reconocer su actitud pero finalmente lo hizo.» La profesora lloró de emoción.

En efecto, en las relaciones humanas, los **argumentos racionales** resultan muchas veces **insuficientes**. El afecto se hace necesario. Y en la disciplina la ausencia de afecto invalida los buenos resultados que podría proporcionar. El **apóstol Pablo** escri-

Perfil de un niño malcriado

- Desde pequeñito se le concedieron todos los gustos y caprichos, se le permitieron todas las rabietas, pataleos y revolcones por el suelo.

- Siempre le dejaron comer solamente lo que quería y a cualquier hora, aunque le hiciera daño.

- Dejaba todo tirado por el suelo, ensuciaba y desordenaba sus juguetes, sus libros y su ropa; luego mamá, la tía o la asistenta recogía y ordenaba todo.

- Usaba gestos despectivos, burlones, adornados con palabrotas y, lejos de corregirlos, se lo festejaban porque era un "chiquitín gracioso."

- Cuando manifestaba desobediencia, insolencia y mal comportamiento, se lo disculpaban porque "estaba nervioso" o "quizás enfermo".

- Se peleaba con sus amiguitos y manifestaba conductas agresivas y belicosas.

- Jamás se le daba ninguna orientación moral o espiritual para no imponerle prejuicios; así, cuando fuese mayor y "maduro", elegiría por sí solo la ética y la religión más convenientes.

- Nunca se le privaba de ver y leer cualquier revista o programa, aunque no fuera apto para su edad, o fuese perjudicial o peligroso.

bió: «*Vestíos de amor, que es la relación más perfecta*» (Epístola a los Colosenses, 3: 14). Un amor así tiene la capacidad de conmover los corazones, restaurar las heridas y transformar a los seres humanos.

Causas de la indisciplina

Padres y abuelos, en nuestro tiempo expresan con frecuencia esta idea: «Hoy en día no hay disciplina... cuando yo era niño obedecía más a mis padres, era más respetuoso con los mayores, no era tan desordenado, ayudaba en las tareas domésticas, no gritaba ni tenía rabietas...» Y en gran medi-

da es cierto, ya que las circunstancias sociales y familiares han cambiado significativamente en las últimas décadas.

Sin embargo conviene preguntar:

¿Tienen toda la culpa los niños de hoy?

¿Qué podemos decir del contagio que reciben del descuido y la permisividad de los mayores?

El ambiente sociocultural, el deterioro moral y espiritual de la sociedad, ¿acaso no les influyen?

No podemos negar que las conductas que observan en la calle, lo que escuchan en los informativos, lo que les muestran la televi-

Si bien la autoridad de los padres ha de quedar afirmada ante los hijos, también es cierto que el miedo no debería ser el ingrediente principal de la disciplina paterna, sino el amor. Solo este puede garantizar que niñas y niños crezcan saludablemente y con una confianza básica en los padres y en la vida.

sión y las revistas, así como el impacto de la omnipresente publicidad, también contribuyen a este proceso de **creciente indisciplina**. El contexto familiar y extrafamiliar influye de manera consciente o inconscientemente en la conducta de los niños. Basándonos en una serie de informes sociológicos, psicológicos y pedagógicos, podemos afirmar que la actual peculiaridad de los niños se debe a un gran número de variables. He aquí algunas de ellas:

- **El contexto sociocultural**. La sociedad de hoy vive convulsionada con rápidos cambios y desorganización social, violencia e inseguridad. Y esto también altera a los pequeños.
- **La familia**. Los problemas familiares van en aumento. Las separaciones, los divorcios, la indiferencia y el descuido de la educación de los hijos llena a los pequeños de ansiedad.
- **Los modelos**. El mal ejemplo de los adultos, parientes y amigos, a veces con problemas personales serios y conductas antisociales, turba a los niños.
- **La metodología**. Los métodos de disciplina son con frecuencia inadecuados, a causa de sus improvisaciones y falta de objetivos, lo cual confunde sobremanera a los más pequeños.
- **La comunicación interpersonal**. Debido a muchos factores, la comunicación familiar se ha deteriorado y encontramos por todas partes falta de diálogo sincero, informaciones poco claras y muy escasa disposición a la escucha.
- **Los medios de comunicación**. Los estímulos de la publicidad y de otros medios de comunicación masivos exaltan el hedonismo, el consumismo y el materialismo, y atrapan a los más jóvenes.
- **Los extremos erróneos en la disciplina**. El excesivo control, la inadecuada supervisión o la permisividad total, sin normas ni principios correctos, tienden a desorientar a los niños.

El **modelo actual de familia** favorece la falta de comprensión y de habilidad para fijar objetivos, intereses y prioridades. Además, el ambiente es poco estimulante, confuso y desordenado, cuando no negativo y hostil.

En muchas familias la interacción entre sus miembros es muy pobre debido a un **estilo de vida superficial y egoísta**. En otros círculos familiares existen complejos, frustraciones y resentimientos que resultan en conductas patológicas y angustiosas para pequeños y mayores.

Los padres de hijos indisciplinados

Existe una relación entre la conducta indisciplinada de los niños y las características personales de sus progenitores. He aquí algunos rasgos o **estilos paternos y maternos** que favorecen la indisciplina:

Vanidoso. Se muestra siempre como modelo, como el mejor o la mejor.

Quejoso. Cuenta a la familia sus infortunios, reales o imaginarios, y protesta por todo.

Tímido. Introvertido, poco enérgico, no toma decisiones, no se compromete.

Sarcástico. Burlón, disfruta ridiculizando a los demás, incluidos los niños.

Inmaduro. Posee una emotividad exagerada y poco equilibrio personal.

Injusto. Tiene sus propios patrones y es parcial en sus decisiones.

Vengativo. Incapaz de perdonar, resentido. Tiene que pagar con la misma moneda.

Despótico. Usa la violencia y la agresividad para dominar a los niños.

Avaro. Todo lo reduce a dinero, no invierte ni tiempo, ni esfuerzo, ni dinero en sus hijos.

Superficial. Todo lo arregla con buenas palabras, promete mucho y no cumple.

Distante. Se muestra indiferente ante los problemas familiares, se "lava las manos", se concentra solo en sus cosas y descuida la atención debida a sus hijos.

Además, como vimos en el primer capítulo, se da el riesgo de las comunicaciones escasas o dañadas, con órdenes verticales, autocráticas o amenazas agresivas, que llenan a los niños de **inseguridad**.

El propio **estilo paterno** provoca a veces indisciplina en los pequeños. Véase el cuadro superior.

La disciplina educativa

Parecería una redundancia decir que la disciplina es educativa, porque el proceso mismo de disciplinar significa educar. A pesar de todo, por formalidad pedagógica, insistiremos en el concepto, teniendo en cuenta que el comportamiento humano es el resultado de numerosos factores, ambientales y condicionales, unos positivos y otros negativos.

En primer lugar, cabe invocar el **factor genético**, que resulta de la transmisión de capacidades y límites que nos otorgan los progenitores.

Por otra parte, los niños están integrados en la familia, que configura el **ambiente inmediato**, el cual, a su vez, se encuentra imbuido de las costumbres locales, raciales y tradicionales.

Y finalmente encontramos el **factor educativo** propiamente dicho, que abarca las orientaciones, las impresiones, las motivaciones, las informaciones, las oportunidades y las alternativas. Estas influencias llegan a los niños a través de una amplia gama de fuentes entre las que se encuentran sus propios padres.

A los factores anteriores hemos de añadir la **participación** del propio sujeto, con su individualidad, su potencial, sus capacidades, sus intereses y sus tendencias naturales. Todos estos factores se integran en la estructura de la personalidad, adquiriendo un sello original y único que determina la conducta posterior.

El asunto de la disciplina educativa es complejo. Ofrecemos unas directrices prácticas en el cuadro-sección *"El Papel de los Padres"* de la página siguiente.

Los riesgos de una disciplina errónea

Para la familia de la sociedad actual no siempre resulta fácil atender a todas esas recomendaciones, ya que puede verse afectada por múltiples problemas, como los de tipo socioeconómico.

A veces esta situación se agrava por **trastornos psíquicos** y de **relación** entre los padres, que pasan por crisis conyugales, se pelean, gritan continuamente, y crean así un clima tenso y hostil. Y en ocasiones, están separados por **divergencias** afectivas o ideológicas, sufren **interferencias** de terceros o un **estilo de vida** condicionado por vicios que no pueden superar.

Si bien es un problema serio para los padres porque sufren en el proceso, también lo es para los niños que, por la autodescalificación de sus padres, crecen **desorientados**. En medio de este caos hacen lo que sus deseos y caprichos les dictan o lo que imponen las circunstancias.

En muchos casos, los padres crían a sus hijos a base de golosinas, programas indiscriminados de videojuegos y de televisión, así como promesas y amenazas que no se cumplen; de este modo, los hijos crecen sin respeto a sus padres y sin rumbo en la vida.

Disciplina y conducta

Una conducta correcta no es el resultado de la casualidad, ni se produce de un día para otro. Tampoco es el fruto de una con-

continúa en la página 106

Como si se tratase de una planta, la disciplina requiere preparación del terreno, siembra y cultivo diario. O, en otros términos, paciente y sabia dedicación en espera de los frutos apetecidos: unos hijos honrados, seguros y autodisciplinados.

La disciplina paterna favorece la autodisciplina

El firme y amoroso cuidado de los hijos por parte de sus progenitores, resulta básico en su formación para el respeto y la convivencia. He aquí una serie de directrices que ayudarán en esta decisiva tarea:

- La relación personal entre padres e hijos favorece la **confianza** y acentúa la conciencia de la **propia responsabilidad**.

- Es importante conceder la **libertad de explorar**, ejercitando un seguimiento flexible pero eficaz. Esto contribuye al desarrollo de un **autoconcepto equilibrado** en el niño.

- El **buen ejemplo paterno**, que tiende a seguirse consciente o inconscientemente, es una forma de disciplina eficaz y desprovista de traumatismos.

- El **sostén afectivo** de los padres ayudará a los hijos a superar los propios sentimientos de inadaptación, ansiedad o desconfianza.

- En todo momento se debe brindar un margen para que los niños aprendan a obtener conclusiones naturales. Esto contribuirá a la **participación** y a la **autorrealización**.

- Conviene **escuchar** con interés y **dialogar** serenamente antes que prejuzgar o reprender.

- Los padres han de reconocer y estimular los **talentos**, descubrir las capacidades y suscitar en los niños **sentimientos positivos** que los animen al buen comportamiento.

- Es preciso transmitir mensajes paternos claros, comprensibles y que fijen pautas basadas en **principios reconocibles**.

- La relación entre padres e hijos no debe ocurrir en el vacío sino más bien en un **contexto práctico**, de trabajo, de estudio o de juego.

- Los **derechos personales** y los **sentimientos íntimos** de los niños han de ser respetados y nunca quebrantados o interferidos por los padres.

- Es importante educar con **amor y paciencia** en lugar de transmitir temor o provocar sentimientos de culpa.

- En las conversaciones, los padres deberían expresar **convicciones sinceras** y evitar las interpretaciones pueriles.

- La familia ha de reservar momentos y situaciones idóneos para permitir el **desahogo** emotivo o nervioso de sus hijos. Y estos necesitan contar con una **actitud abierta** por parte de sus padres.

- Se han de evitar las **amonestaciones** y **críticas reiterativas** a la hora de ir a dormir o a comer, sea por la vestimenta, por la música, por los estudios o por los juegos. En su lugar, los padres deben ofrecerles una **guía razonable y comprensiva**, siempre **discreta y flexible**, sin renunciar a las exigencias derivadas de los principios.

- A la hora de alcanzar acuerdos en cuanto a pautas de conducta, lo mejor es solicitar los **compromisos libres** y personales.

Reprenda bien a su hijo

- La verdadera represión tiene como objetivo desarrollar una **conciencia moral** en el niño.

- El **tipo de represión** debe tener en cuenta la edad, el temperamento, las actitudes y las circunstancias en que se realizó la falta.

- Antes de proceder a cualquier represión **asegúrese** de que el niño actuó deliberadamente o de mala fe, no por nerviosismo o por error.

- Mantenga en todo momento la **calma**, el dominio propio y la objetividad.

- Actúe de modo que el niño no se asuste ni se inhiba; **evite gestos hostiles** como la amenaza física o la voz demasiado elevada.

- Busque el modo de **dialogar calmadamente**, escuchando con interés y con disposición de aceptar disculpas.

- Céntrese en lo **positivo** de la conducta contraria a la que se quiere reprender e indique también las consecuencias naturales de la mala conducta, evitando las amenazas excesivas y las promesas de difícil cumplimiento. En general, reprenda oportunamente, con inteligencia, paciencia, justicia y cariño.

viene de la página 104

versación, de una promesa o de un castigo. Se trata de un modo de conducirse derivado de la **acción deliberada** y **sistemática** de los padres.

El padre y la madre, cumpliendo con los objetivos marcados por su filosofía de la vida, se dedican con paciencia, perseverancia, amor e inteligencia a guiar las energías y las tendencias naturales de sus hijos desde la edad temprana.

El reto de los padres es la búsqueda persistente de **actitudes positivas**, tendentes a la formación de buenos hábitos, que los niños acepten, aprendan e incorporen en su diario vivir. Como vimos en el capítulo anterior, esta es la base fundamental del carácter.

En muchos casos los padres no tienen ninguna mala intención. Aman a sus hijos y desean lo mejor para ellos, pero se dejan guiar ingenuamente por **conceptos populares** erróneos, como estos:

«Ya tendrá la edad para comprender lo que debe hacer.»

«Mi hijo es bueno por naturaleza y no tiene ninguna malicia; en cambio hay otros que tienen toda la picardía y la travesura naturales alojadas en cada célula.»

Premios y castigos: uso y abuso

- Las promesas y las amenazas deben ser mesuradas y prudentes, pues la exageración o el ímpetu menguan su validez y **credibilidad**.

- El **amor**, la **objetividad** y la **justicia** deben ser elementos básicos de los castigos y de los premios.

- Las **recompensas** y los **castigos** deben ser equilibrados, razonables, oportunos y razonados.

- No se debe castigar privando al niño de los **bienes esenciales**, como el alimento, el reposo o el cariño de sus padres.

- Las recompensas deben ser **merecidas**, comedidas y útiles para el desarrollo del carácter, y en ningún momento constituir una rutina o formar un vicio.

- Tanto el castigo como la recompensa **no deben ser el centro** de la disciplina **ni** constituir una **descarga emocional** de los padres.

- En casos difíciles, tratar con **prudencia** y **serenidad** las situaciones críticas que puedan producir resentimientos, desilusión o desconfianza.

- Los **premios** deben ser dignos de aprecio, justos y en relación directa con el esfuerzo y la responsabilidad.

- En todo momento se deben evitar los gestos, las palabras y las actitudes altisonantes que puedan menoscabar la **autoestima**, provocar complejos o, a la inversa, orgullo o vanagloria.

«Cuando lo castigo, se porta bien por algunos días, hasta que vienen los abuelitos, ellos le consienten todo.»

«Me da lástima castigarlo o prohibirle algo porque es muy sensible y se resiente mucho.»

Sin embargo, la mejor opción consiste en actuar **lo más rápidamente posible** ante una conducta indeseable. La **reprensión** como forma de disciplina es muy eficiente y puede comenzar a utilizarse desde el mismo momento en que el niño cuenta con edad suficiente para razonar. El cuadro superior muestra una serie de consejos a este respecto.

Recompensas materiales y sociales

Sara parecía enferma y evidenciaba escasa capacidad para realizar sus tareas; lo contrario de su hermana, que parecía una chispa, que todo lo hacía muy bien, y recibía felicitaciones y premios de parte de todos. En cierta ocasión una anciana tía suya le pidió ayuda a Sara. A raíz de ello, la niña se sintió útil y apreciada por su tía, que a su vez le manifestó su aprecio y

Como las señales de tráfico, que facilitan la circulación, las normas en la familia –lejos de ser algo trasnochado– constituyen un medio necesario para inspirar seguridad en los hijos y orientar sus actos. Siendo, eso sí, claras, precisas, razonables y limitadas en número.

gratitud, regalándole un hermoso reloj que ella mostraba a sus amigos y parientes. Este hecho afectó profundamente a Sara, quien desde entonces cambió y acabó siendo una niñita alegre y servicial. El poder transformador de las recompensas materiales y, especialmente, del aprecio y el reconocimiento, crea hábitos que llegan a transformarse en formas de carácter estables y duraderas.

En efecto, el origen de muchas conductas se encuentra en **estímulos** o **refuerzos** comportamentales. Los padres, en el diario trato con sus hijos, emplean muchos incentivos que ellos mismos no saben que son tales, pero que resultan métodos muy eficaces.

Con frecuencia se escucha a los padres decir: «Como os habéis portado muy bien, voy a preparar el pastel que más os gusta»; o «Me has ayudado a limpiar los cristales sin tener que pedírtelo. Esta tarde nos vamos a la playa»; o «¡Qué notas tan estupendas, Juan! Estoy orgulloso de ti», al tiempo que lo abraza.

Los niños aprecian las recompensas que satisfacen sus necesidades básicas y afectivas, particularmente cuando se ofrecen con sinceridad y sin condiciones. Las recompensas materiales –dulces, juguetes– pueden resultar muy poderosas, pero las respuestas que implican cariño, aceptación y pertenencia pueden llegar a ser verdaderos **motores de buena conducta.** Por el contrario, la carencia de este tipo de estímulos suscita en ellos un sentimiento de rechazo y poco aprecio, desaliento y apatía.

A pesar de la eficacia de este método, no hemos de olvidar que hoy resulta fácil para los padres ofrecer muchos y variados premios al buen comportamiento. Como consecuencia de ello, hay niños que se habitúan a recibirlos y se vuelven insensibles a estos estímulos. Otros se tornan adictos a las promesas, sobre todo si son de dulces o de dinero. Es importante identificar este problema y procurar por todos los medios que, con o sin recompensa, los niños comprendan y razonen la **conveniencia** de la conducta deseable.

Las normas en la familia

Todo grupo que aspira a vivir en un mínimo de **armonía**, tiene que seguir ciertas normas. Y la familia no es una excepción. Las normas familiares han de garantizar el buen funcionamiento de la misma y servir de referencia para las buenas relaciones entre padres e hijos.

Muchos padres exigen buena conducta a sus hijos sin establecer normas claras que marquen el **criterio** para esa conducta. Algunos niños no saben lo que se espera de ellos en tareas tan simples como vestirse, hablar con los mayores, jugar, acostarse a la hora, etcétera. Viven pendientes de las imprevisibles reacciones de sus progenitores.

Las normas en la familia son necesarias para el buen funcionamiento y para la seguridad afectiva y emocional tanto de padres como de hijos. Mencionaremos a continuación algunas reflexiones que pueden ayudar a los padres a establecer **normas para orientar a sus hijos:**

- Han de estar basadas en **principios reconocidos** por toda la familia, y expresar el estilo o filosofía de vida que adoptan los padres y transmiten a sus hijos.

- Conviene **evitar** las **normas improvisadas**, o aquellas que resulten arbitrarias, subjetivas o caprichosas.

- Han de ser **claras, precisas y razonables**, fáciles de entender por los niños.

- Conviene que sean **pocas**, fácilmente compartidas, para que puedan ser bien aplicadas y respetadas sin abrumar a los niños en su quehacer diario.

- Se deben elaborar permitiendo la **aportación infantil**. Así las reglas no son forzadas sino aceptadas libremente y fruto de un convencimiento solidario.

- Necesitan someterse a **revisión** con cierta frecuencia de manera reflexiva y minuciosa, con la participación de toda la familia.

- Las normas calcadas de otras realidades socioculturales, o bien mero fruto de la tradición o la rutina, suelen tornarse pesadas cargas, limitadoras de la libertad. Si son impuestas a los hijos, a menudo generan rechazo o rebeldía a corto o largo plazo.

Conclusión

Recapitulando, la correcta disciplina ha de ser el producto de una buena **planificación educativa**; se ha de empezar a aplicar desde los primeros días de vida y debe prolongarse hasta el final, con particular énfasis en los años de la infancia y de la adolescencia.

En última instancia, la disciplina recta y amorosamente ejercida, otorga a los padres y a los niños caudales de satisfacciones, abriendo las puertas de una vida feliz, llena de realizaciones positivas y maduras.

En cambio, el descuido o la errónea aplicación de la disciplina producen como consecuencia la **endeblez moral** y un carácter deficiente en los hijos, a la par que cubre de ansiedad y congoja al resto de la familia.

6

La educación sexual

CON SOLO cuatro años, Marisa es muy habladora. Su madre, que es profesora de bachillerato, se deleita conversando con ella y respondiendo a las múltiples preguntas que le formula. La niña está encantada de que su madre dedique tiempo a explicarle cosas, y de que ella, cada vez, inquiera a continuación: «Pero..., ¿por qué?» Y la madre procede a darle una nueva explicación.

Una tarde, después de varias preguntas y respuestas, Marisa se dirige a su madre: «Mamá, a mí me gustaría tener un pene como Roberto, ¿por qué no me compras uno?» Su madre –cambiando inconscientemente de tono y un tanto ruborizada– le dice: «Anda, Marisa, no digas tonterías.» Y a continuación se levanta del sofá y se pone a colocar unos libros en la estantería.

A pesar del ambiente liberal que vive nuestra sociedad, aún existe cierta reticencia a hablar de la sexualidad de una manera

> **Todo intento de la naturaleza o de la cultura para borrar la diferencia entre lo específico femenino y lo específico masculino, tiene que considerarse como un atentado al proceso biológico de la humanidad.**
>
> **DR. GREGORIO MARAÑÓN**
> Médico y escritor español
> 1887-1960

Desarrollo de la sexualidad infantil

Etapa	Edad	Manifestación	Consecuencia
Oral	0-12 meses	Succión	Placer en la estimulación de las mucosas bucales.
Anal	2-4 años	Excreción/ Retención	El niño alcanza el control anal al defecar o retener las heces. Le proporciona satisfacción y seguridad.
Fálica	3-4 años	Frotamiento de los genitales	Niños y niñas se tocan los genitales con el fin de explorar su cuerpo y obtener satisfacción.

Más información en la *Enciclopedia salud y educación para la familia*, t. 1, pág. 347, de Editorial Safeliz.

En la inmensa mayoría de los casos, estas etapas siguen un curso normal, que facilita el conocimiento del propio cuerpo. Después, estas manifestaciones tienden a desaparecer paulatinamente. Se trata de etapas naturales que no tienen por qué alarmar a los padres.

natural, especialmente a los niños. La tradicional cigüeña que traía a los bebés de París, era una manera de librarse de esta incomodidad y, sin mala intención por parte de padres y abuelos, introducía un enfoque erróneo del asunto.

Tarde o temprano, los pequeños se enteraban de la "verdad" a través de otros niños o niñas, y razonaban (o intuían): «Si mis padres me contaron lo de la cigüeña, debe de ser porque todo lo que tiene que ver con el sexo es sucio y vergonzoso.»

Consecuentemente, no volvían a mencionar palabra sobre el asunto y guardaban para sí esta idea.

Así es como se iban formando conceptos –algunos ciertos y muchos falsos– acerca del tema, y los padres se quedaban satisfechos por no tener que hablarles de ello.De este modo se han ido acumulando y perpetuando **errores** y **actitudes frívolas** sobre algo que es, en realidad, una de las facetas más hermosas de la existencia humana.

A esto se añadía el hecho de que los propios padres carecían de una adecuada y suficiente formación en materia sexual. Desconocían, por ejemplo, que ya en el bebé se da una **fase primaria** de la sexualidad (ver cuadro superior), ignorancia que en ocasiones daba lugar a tabúes innecesarios.

A diferencia del pasado, en que se procuraba evitar el contacto entre niñas y niños (por ejemplo, en las escuelas), en la actualidad los nuevos enfoques sobre sexualidad propician una mayor proximidad. Esta, a su vez, permite a los pequeños contrastar sus diferencias sexuales y, por esa vía, reforzar su identidad sexual individual.

Hoy en día existen programas escolares de **educación sexual** que descubren estos temas y evitan la ignorancia sobre la sexualidad y la reproducción. El enfoque preferido por la mayoría de los centros escolares es "aséptico". Se presentan una serie de datos relativos a la anatomía, la fisiología y la función sexual; se explican las diversas vías de prevención de un embarazo indeseado, así como la manera de interrumpirlo; pero no se ofrece un juicio moral o una postura meditada en relación con el sexo.

Por ello, entendemos que el *papel de la familia* en la enseñanza de la sexualidad es insustituible. Sería imprudente creer que los niños son capaces de encontrar por sí solos un criterio correcto al respecto.

Pretendemos, pues, a través del resto de este capítulo, ofrecer información que anime a los padres a llevar a cabo la parte que les toca en lo referente a la educación sexual de sus hijos.

Cómo y cuándo llevar a cabo la educación sexual

Conocimos a una madre que tenía planeado explicarle a su hija todo lo referente al sexo, incluyendo la menstruación y cómo adoptar una actitud correcta hacia ella. Pero esperó demasiado. Un día, cuando su hija tenía 11 años, vino con lágrimas en los ojos a comunicar a su madre que su ropa interior estaba manchada de sangre.

Esta muchacha recuerda tal experiencia como una de las más desagradables de su vida. Tenía una gran confusión en cuanto este asunto. Había oído algo de la "regla", pero nada lo bastante claro, y de ninguna manera esperaba tenerla a sus 11 años. Además, sentía una profunda vergüenza en ir a su madre a contárselo, y lo hacía únicamente por necesidad.

La **edad prepuberal** (10-12 años para las niñas y 12-14 años para los niños) no debe anunciar el comienzo sino más bien la **finalización** de la **educación sexual familiar**. Es precisamente antes de la escolaridad cuando los niños hacen preguntas sobre estos temas con sencillez y naturalidad. A medida que pasa el tiempo, entran en una etapa reservada y prefieren no hablar de este tema en casa, aunque estén dispuestos a hacerlo con otros muchachos o muchacha de su edad.

Marcaremos, pues, el **comienzo** de la **instrucción sexual** en la familia durante la edad preescolar (3-5 años). Generalmente, los niños pequeños sienten curiosidad acerca de todas las partes del cuerpo y se percatan de las diferencias entre varones y mujeres. Comienzan preguntando "por qué tengo esto" o "por qué no tengo aquello". La educación sexual comienza, pues, con la **primera pregunta** relacionada con el sexo.

Como norma general, las respuestas deben ser **naturales y sencillas** para que los pequeños puedan entenderlas. Así se les ofrece una información que –aunque simple– es correcta, y en el futuro propiciará otras preguntas más complejas que serán satisfechas a un nivel superior.

Podemos encontrar, no obstante, niños que no preguntan nunca nada en relación con este tema. Tal hecho puede deberse a que el niño nota que el asunto es rechazado por los padres, quizá por alguna respuesta cortante o algún comentario del pasado.

Otras veces, se debe a no haber recibido suficiente estímulo como para sentir curiosidad por ello. Es el caso, por ejemplo, del hijo único que nunca ha visto a otros niños o niñas desnudos. Igualmente, puede tratarse de niños que han encontrado respuestas a sus preguntas en la calle o en la escuela, y sienten vergüenza de preguntar en casa.

De cualquier modo, los padres harían bien suscitando ocasiones que estimulen la **conversación** sobre el asunto, ya que es muy importante tratarlo en familia. El nacimiento de animales de granja es cada vez más difícil de observar, pero es relativamente fácil presenciar el alumbramiento de animales de compañía, y estos sucesos ofrecen una buena oportunidad para charlar sobre el tema sexual. También el embarazo de la madre de algún amiguito puede traer a colación la explicación de cómo se desarrollan y nacen los bebés.

Existen excelentes **documentos gráficos** (vídeos, películas) que muestran paso a paso los aspectos de la reproducción. También hay **libros infantiles** profusamente ilustrados y diseñados para diversas edades. Recomendamos una visita a alguna biblioteca o librería pedagógica. Hay dos tipos de libros útiles en este sentido: Los **ilustrados** que se leen a los niños (o con los niños), y los que presentan una **metodología** de la enseñanza de este tema, escritos para padres y maestros. Quizá los primeros sean los que ofrezcan ayuda más directa.

¿Qué debe saber el niño en edad preescolar?

Los niños de 3 a 6 años han de tener una idea aproximada de cómo vienen los bebés. La reproducción de la vida no es ningún secreto, y la naturaleza no oculta este hecho. Si los padres no rehúyen las ocasiones, surgirán multitud de **oportunidades** para explicar el proceso: El bebé se forma dentro de la mamá, pasan varios meses y, cuando el bebé ha crecido lo suficiente, el cuerpo de la mamá se prepara para el parto. Ese día es muy importante porque en él nacerá el pequeñín que ha estado viviendo dentro de ella, y así toda la familia podrá conocerlo finalmente.

Por otra parte, es conveniente que el niño en edad preescolar tenga una idea de **cómo se inicia el proceso**. Algunos niños y niñas creen que ellos pueden también quedarse embarazados y tener un bebé. Unos lo toman como un juego; otros lo consideran cierto y a veces se llenan de temor. Hay que dejar claro que los bebés se forman dentro de las mamás, no de las niñas ni de los niños, ni tampoco de los papás. Véase *"El Consejo del Psicólogo"* (págs. 124-125) como ilustración de preguntas y posibles respuestas para niños de diversas edades.

El preescolar necesita también conocer la **correcta terminología** de las partes de su cuerpo que tienen que ver con el sexo. Este aprendizaje lo habitúa considerar los nombres como algo correcto y no tabú, además de iniciarlo en el uso de los nombres adecuados y no de los que se usan en la calle. Es importante que conozca estas cosas antes de empezar su escolaridad, para que más adelante no se crean las ideas descabelladas que escucharán de boca de otros niños.

Para prevenir la adquisición de las nociones frívolas y engañosas que circulan socialmente, los padres han de ser los primeros agentes educativos en materia sexual. El diálogo franco y adecuado a la edad alejará peligrosos tabúes y contribuirá a una preparación serena y madura de los hijos.

acto sexual el varón introduce el pene en erección en el conducto vaginal de la mujer. Es una experiencia muy agradable para los que se aman y puede producir un embarazo.

- El **embarazo** se inicia con la unión de un óvulo (célula que está en los ovarios de la mujer) y un espermatozoide (célula que está en los testículos del hombre). Ambas células tienen la posibilidad de encontrarse durante o después del acto sexual.

- La vida sexual entre un hombre y una mujer no solamente se refiere al contacto físico. Para el acto sexual se necesita una **disposición favorable** por ambas partes en un lugar y momento adecuados. Esto añade un componente afectivo-emocional al acto sexual humano.

- Los **cambios de la pubertad** comienzan temprano y los afectados tienen que estar al corriente con antelación a ellos. Las muchachas necesitan recibir información acerca del crecimiento de los senos, la aparición del vello en varias partes del cuerpo, el ensanchamiento de las caderas y las alteraciones dermatológicas. Los muchachos precisan información sobre la aparición del vello en el pubis, en las axilas y en la cara, los cambios en la musculatura, en la voz y en la piel.

- Los **órganos sexuales** propiamente dichos comenzarán a desarrollarse para adquirir las dimensiones y funciones que los capacitarán para la sexualidad. Estos cambios conducen a los privilegios y las responsabilidades que toda persona tiene en relación con a la sexualidad.

¿Qué debe saber el niño en edad escolar?

A partir de la base que el preescolar ya ha aprendido con sencillez, los niños en edad escolar necesitan una información más avanzada que irá preparándolos para la pubertad. Si este tema se ha hablado previamente con naturalidad, las preguntas surgirán ahora con franqueza y libertad.

Como orientación básica sugerimos una lista de **datos,** que los padres deberían ocuparse de transmitir a sus hijos en contextos favorables y con un tratamiento que refleje los principios y valores escogidos:

- La sexualidad es un aspecto **hermoso** de la existencia humana. No es "sucia" ni "pecaminosa", aunque puede llegar a serlo si se usa indebidamente.

- La unión genital entre un hombre y una mujer es el **acto sexual** o el **coito**. Debe explicarse en términos simples que en el

- Las niñas han de conocer bien el mecanismo de la **menstruación** y saber qué hacer durante los días de la regla. Los niños han de estar informados sobre lo que significa la **emisión nocturna** de semen.

- Todos estos cambios requieren una adquisición de **hábitos higiénicos** que han de enseñarse con tiempo. Son ejemplos el uso de desodorantes, la higiene de la piel en la cara y la limpieza genital.

La transmisión de esta información **antes** de la **pubertad** facilita los cambios y estimula la comunicación, que tiene lugar gracias a ello en un contexto de **preparación** y *no* de **emergencia**.

(Para una más amplia información sobre educación sexual, véase la *Enciclopedia salud y educación para la familia,* t. 4, pág. 326, de los doctores Isidro Aguilar y Herminia Galbes, publicada por Editorial Safeliz).

Valores y actitudes frente al sexo

Para enseñar a niños y niñas la sexualidad de una manera completa, los padres necesitan afrontar el tema siempre con una doble perspectiva:

- Por una parte, la educación sexual ha de incluir la **información anatómica, fisiológica y emocional** de la sexualidad.
- Y por otra, esta enseñanza debe ir acompañada de una **determinada actitud**. La edad preescolar constituye la época ideal para sentar un fundamento sano sobre la idea de la sexualidad.

El sexo representa una faceta maravillosa de la vida humana. Puede suponer un gran beneficio. Aparte de la **función reproductora**, que proporciona la enorme satisfacción de los hijos, el sexo cumple otra función que es la de unir a un hombre y una mujer en una **intimidad** que no puede conseguirse de otra forma. Constituye una inmensa **fuente de placer** para los cónyuges y permite una actitud de mutua gratitud a través del intercambio sexual. No obstante, el sexo mal usado puede traer conse-

cuencias devastadoras desde el punto de vista físico y moral.

Los padres creyentes pueden razonar con sus hijos explicándoles que **Dios diseñó** al varón y a la mujer provistos de **sexualidad**, para usarla responsablemente. Ya desde pequeños se les puede enseñar que para, controlar este instinto, el Creador estableció un periodo de celo, en los animales, para que efectuasen la actividad sexual en determinados momentos. En cambio, al ser humano lo dotó de una **sexualidad continua** para que con su inteligencia utilizase el sexo adecuadamente.

El plan divino original es la aproximación sexual solo cuando haya un **compromiso afectivo y estable** entre un hombre y una mujer. Diversas sociedades aseguran la estabilidad de diferentes maneras, pero la más común es el **matrimonio** monógamo, comprometido y maduro. Llegado el momento, el sexo ha de utilizarse dentro de unos límites que garanticen al hombre y a la mujer una **seguridad** desde los puntos de vista físico, moral y psicoafectivo.

La **modestia** es otro de los aspectos a enseñar a esta edad. Los niños necesitan irse acostumbrando al uso correcto de la ropa en diferentes contextos.

Por ejemplo, podemos explicar a nuestro niño de 6 años que si tenemos visitas en casa, pueden sentirse ofendidas si sale del baño completamente desnudo y se pasea por el salón. A él quizá no le importe aún, pero hemos de pensar en la incomodidad que eso puede producir en los demás, especialmente a medida que va haciéndose mayor.

Por otro lado, no es conveniente un **énfasis desproporcionado** en este sentido. Hay padres que, cada vez que se cambian de ropa, se aseguran de que la puerta del baño o del dormitorio está cerrada con llave para que los niños no puedan entrar.

En cierta ocasión, unos padres nos explicaron la vergüenza que pasaron al olvidar cerrar la puerta y su hijo de 5 años abrió y los vio desnudos. La madre dio un chillido y

Desde pequeños, niños y niñas necesitan reconocer su diferente identidad sexual y encauzar su desarrollo integral de acuerdo con ella. De lo contrario, con los años pueden aparecer trastornos psíquicos y sociales. Pero esto no avala la creencia de que ciertas facetas, como el gusto por las flores (o la ayuda en casa), hayan de ser privativas de uno u otro sexo.

corrió hacia la puerta para echar la llave, mientras decía gritando: «Luisito, te hemos dicho mil veces que nunca entres sin llamar primero.»

Una reacción excesiva puede resultar negativa, confusa y desconcertante para un niño que solo comienza a distinguir los usos culturales. Es mejor mantener la calma y simplemente pedir al niño que espere fuera hasta que sus padres terminen de vestirse.

En general, una **actitud saludable** hacia la sexualidad consiste en proporcionar a los pequeños información correcta, simple y adecuada a la edad, así como una presentación simple y natural de los **principios morales** asociados a este asunto. Dicha presentación ha de ser coherente con la postura de los padres y nunca debe transmitirse por medio de las amenazas, los castigos y las situaciones vergonzosas

que tradicionalmente se han asociado al mundo del sexo.

La identidad sexual

Alberto, de cinco años, observa diariamente cómo su padre toma el portafolios, se pone el abrigo y, despidiéndose de todos, se marcha a trabajar. Una tarde, cuando su padre ha regresado, Alberto consigue ponerse el enorme abrigo paterno, agarra el asa de la cartera y exclama sonriendo: «Adiós, me voy a trabajar.» Entretanto, su hermana de tres años y medio está muy ocupada haciendo una comida de arena usando unas ollas de juguete.

¿Qué es ser varón? ¿Qué es ser mujer? Niñas y niños necesitan tener ideas claras de las expectativas del entorno en cuanto a su papel como miembros de un género u otro.

continúa en la página 120

Testimonios

Eduardo, 42 años:

Me crié en una **familia tradicional** en la que mi madre nunca trabajó fuera de casa. Mi hermana ayudaba a mi madre en la cocina y en la limpieza de la casa.

Mi padre, después del trabajo, se sentaba a leer el periódico mientras mi madre ultimaba los preparativos del almuerzo y comíamos todos juntos.

La escena se repetía a la hora de la cena. Siempre recordaré el sonido de los cacharros en la cocina mientras los varones leíamos algo, dormitando en los sofás.

Me identifiqué por completo con el rol del varón y nunca aprendí a lavar los platos, a hacer la colada o a planchar. No entendía a aquellos amigos que se marchaban de casa buscando una vida independiente.

Yo no gastaba prácticamente nada y mi madre me tenía la comida hecha, la ropa limpia y planchada, y mi habitación impecable.

Llegó el momento en que tuve que cambiar de localidad por motivos de trabajo. Con las ocupaciones laborales no me quedaba tiempo para cocinar, lavar y planchar. Y lo que era peor, no tenía ni idea de cómo hacerlo.

Se me iba el salario en comidas precocinadas, restaurantes y lavanderías. Carecía de los más elementales **principios de orden**, y mi estudio era tal desastre que necesitaba dedicar un día entero para colocarlo todo bien cuando tenía un invitado.

Entonces comprendí que el trabajo de mi madre no era ninguna tontería, y que me habría beneficiado mucho tener alguna experiencia en las **tareas domésticas**.

Me casé con una mujer maravillosa que sabía hacer todo lo que yo desconocía. Los años de mi infancia y juventud se revivían, y sentía el placer de encontrar todo preparado y en orden cuando llegaba del trabajo.

Tuvimos dos hijos. Cuando alcanzaron la edad escolar, mi esposa reanudó su vida profesional. Comenzamos a compartir las tareas del hogar que, por cierto, no eran tan simples como en mis tiempos de soltero.

Después del trabajo estaba cansado y tenía que ponerme a hacer la comida, mientras mi esposa se ocupaba de la colada. Esto provocaba en mí una tremenda sensación de frustración e injusticia, pues estaba ocupándome de las tareas que, según mi entender, le correspondían a ella. Y ahí empezaron nuestros problemas.

Después de tormentosas disputas que duraron dos años, nos divorciamos. Ahora vivo con mi hijo mayor, trabajando, ocupándome de la casa e intentando educar al muchacho de un modo menos **sexista** que me educaron a mí. A veces pienso que si mi educación hubiera sido diferente, mi vida también lo habría sido.

Margarita, 44 años:

En mi casa me educaron de la forma más **conservadora** en cuanto al papel de la mujer se refiere. Desde que tuvimos edad para hacerlo, a mi hermana y a mí nos enseñaron a cocinar, coser, bordar, etcétera. Fue una buena experiencia. Nunca es malo aprender cosas útiles.

Lo peor vino cuando mi hermano (que solamente tenía un año más que yo) entró en la universidad, y yo manifesté el deseo de realizar estudios universitarios también.

Mi padre no entendía por qué yo necesitaba estudiar: mi carrera era el **matrimonio**. Sin estar muy convencida, y por no tener otra salida, acepté la voluntad de mi padre y, al terminar el bachillerato, permanecí en casa. Ayudaba a mi madre en las tareas domésticas mientras llevaba a cabo la "tarea" dudosamente provechosa de esperar un marido.

Después de casi tres años en estas condiciones me fui a vivir con una amiga y trabajé en diversas tareas y lugares. Fue una etapa durísima. Por una parte, siempre pensé que me casaría joven y que me dedicaría a cuidar de mi marido e hijos y por otra, nunca pensé que tendría que buscar trabajo.

Me sentí frustrada por no haber alcanzado ninguno de los objetivos para los que me habían educado. Tardé mucho en asumir que la mujer es perfectamente capaz de cuidar de sí misma y que su función puede variar con las circunstancias. Después de haber cambiado muchas veces de empleo y haber sufrido mucho por mi condición de "soltera", llegué a concienciarme de **mis propios valores**.

Ahora estoy al frente de una sucursal de la compañía de seguros en la que llevo trabajando 11 años. Soy soltera, vivo sola, tengo buenos amigos y amigas y me considero feliz. Miro a mi pasado sin rencor, pero me pregunto cuánto más habría podido hacer sin el freno que mi ambiente me impuso por el hecho de ser mujer.

viene de la página 117

Además, unos y otros han de estar contentos con su rol masculino o femenino.

Por sí solo, el niño observa las conductas típicas de hombres y mujeres tal y como se muestran en el vecindario, la televisión, las familias de sus amigos y su propia familia. Ello crea una **conciencia de masculinidad o feminidad** que es necesario aprovechar para el posterior ajuste emocional y sexual del niño (véase *"El Consejo del Psicólogo"*, pág. 123). Como es natural, los padres, con su propia conducta y con sus declaraciones, influyen decisivamente en la formación de la identidad sexual de sus hijos.

Desde edades muy tempranas se aprecia que los niños pueden distinguir entre el papel del varón y el de la mujer. Esto podemos constatarlo mostrando a un pequeño un martillo y una sartén, y preguntándole:

Sin rigidez ni falsos estereotipos, resulta con todo conveniente la identificación respectiva de niñas y niños con su madre y con su padre. Los hijos cuentan así con un modelo de conducta y con un patrón para sus roles sexuales específicos.

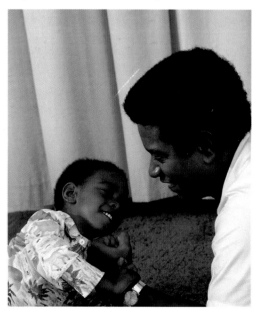

«¿Cuál es de mamá y cuál es de papá?» La inmensa mayoría nos contestará que el martillo es de papá y la sartén de mamá.

¿Por qué esta reacción? Hay expertos que lo explicarán diciendo que la respuesta proviene de que el niño **observa** las conductas correspondientes en los adultos. Otros, en cambio, aseguran que niños y niñas asocian de manera **natural** y espontánea las actividades de fuerza con el sexo masculino y las actividades de precisión y delicadeza con el sexo femenino.

A pesar del desacuerdo reinante (ver cuadro en página contigua) en la comunidad científica, todos parecen coincidir en que una gran parte de las funciones sexuales se aprenden a través de un proceso denominado **identificación.** Esto significa que el niño observa en su padre un modelo al que imitar, y la niña hace lo propio con su madre. Poco a poco los pequeños van asimilando su condición de varón o hembra, y crecen en la comprensión de que hay unas determinadas tareas y funciones propias de uno y de otro sexo.

La gran pregunta que cabe hacerse es:

¿Cómo formar en nuestros hijos una concepción equilibrada de las conductas masculinas o femeninas?

Establezcamos algunos **principios** útiles, aplicables desde la misma edad preescolar:

1. **El niño necesita reconocer la diferencia entre hombre y mujer,** entre masculino y femenino, de una forma clara y distinta. Este principio es especialmente relevante en la niñez, edad en la que los términos medios son confusos. Se trata, pues, de explicar que las relaciones amorosas se establecen entre mamás y papás; las mamás dan a luz y amamantan a los bebés, y no los papás.

   En general, los roles que han de presentarse de una forma contundente son aquellos que vienen determinados por vía **biológica.**

2. **El niño precisa identificarse con el sexo al que pertenece.** Se trata de una

continúa en la página 122

Niños y niñas: ¿Por qué hay diferencias?

Desde sus inicios, en la vida de los niños se observan diferencias de conducta. ¿Se deben tales diferencias a lo que aprenden o tienen que ver con rasgos innatos que van manifestándose con el desarrollo? Suelen darse cuatro explicaciones teóricas.

3. Teoría biológica.

Aunque lo que ocurre en el entorno tiene cierta influencia, los factores biológicos desempeñan el papel **más importante**. Las hormonas sexuales, las funciones diferenciales de los hemisferios cerebrales y la propia constitución física determinan estas diferencias.

4. Teoría psicoanalítica.

Los niños adquieren el papel de varones mediante una extensión del complejo de Edipo (el niño se imagina que puede sustituir al padre y poseer a la madre). Por ello imita a su padre en todo. Las niñas, por su parte, adquieren conductas femeninas por medio del complejo de Electra (se imaginan que pueden sustituir a la madre y poseer al padre). Así la niña trata de ser como su madre.

1. Teoría del aprendizaje social.

Los niños de ambos sexos viven en contextos sociales en los que cuentan con múltiples oportunidades de observar una variedad de modelos (padres, adultos, otros niños). Fruto de esta observación aparecen los **comportamientos miméticos**. Si estos conllevan aprobación, tienden a repetirlos hasta que pasan a formar parte de su conducta habitual.

2. Teoría del desarrollo cognitivo.

El comportamiento típicamente masculino o femenino ocurre como consecuencia del desarrollo cognitivo. Los niños y las niñas comprenden que 'él' y 'ella' pertenecen a categorías distintas. De esta manera, etiquetas como 'niño' o 'niña' se asocian a conductas diferentes. Estos conceptos van desarrollándose en la mente de los niños y su conducta va tomando forma de acuerdo con ellos.

Conclusión. Ninguna de las teorías mencionadas ofrece una **explicación global** y plenamente satisfactoria al problema de las conductas diferenciales entre sexos. Cada teoría destaca un aspecto relevante que, a su vez, no es rechazado por las demás. Un denominador común a todas ellas parece ser el reconocimiento de varios factores que interactúan en conjunto para dar lugar a una conducta u otra. Hay aspectos biológicos (hormonas, conexiones cerebrales...) y aspectos sociales (lo que los niños observan y lo que el entorno aprueba o desaprueba).

viene de la página 120

tarea fundamental para la sana transición de niño a hombre y de niña a mujer. Desde muy temprano, el niño ha de compararse con el papá, y la niña con la mamá (como apuntábamos antes, esto ocurre de forma natural). Pero además, el niño ha de sentirse contento con su condición y la niña también ha de estar orgullosa de serlo. Los padres que esperaban un varón y tuvieron una niña, o viceversa, han de ser especialmente cautos en la enseñanza de los roles.

3. **La cultura y la sociedad determinan estos roles en gran medida.** Esta es una realidad social. Aun cuando no sea tan determinante como la anatomía, la cultura es un fenómeno de evidente influencia y digno de consideración. Aquí se incluyen todos los usos, como los relativos a la diferencia de vestuario entre hombres y mujeres, las actividades profesionales más comunes entre un sexo y el otro, así como las tareas del hogar asignadas al uno y al otro. Además el influjo no viene solo de la familia sino de la escuela, los medios de comunicación, el barrio, etcétera.

4. **Hay que reconocer las diferencias reales que existen entre varones y féminas.** Por muy progresistas que seamos, hemos de admitir la existencia de tales diferencias, cuyo origen muy probablemente sea **genético**.

Por ejemplo, los niños alcanzan niveles de coordinación motriz más altos que las niñas, y estas experimentan un desarrollo intelectual más temprano que los niños. Los niños, en general, despliegan mayor frecuencia de conductas agresivas que las niñas. Es importante conocer estos hechos para entender que a un muchacho, por ejemplo, le costará más esfuerzo dejar de pelearse que a una niña.

5. **En ningún caso es recomendable la enseñanza de estereotipos sexuales de una manera rígida e inflexible.** Aun cuando se han de tener en cuenta las cuestiones culturales, es siempre recomendable evitar la rigidez en los roles. A la hora de comprar juguetes o de asignar tareas en casa, los padres han de observar un cierto margen de variación y flexibilidad. Se trataría de evitar posturas del tipo: «Jamás permitiré que mi hijo juegue con una muñeca... Eso es cosa de niñas.» (Véase el cuadro de las páginas 118-119 con ejemplos de posibles consecuencias de esta rigidez en la edad adulta.)

Y de nuevo surge la cuestión: *¿Cómo se lleva a cabo este proceso de identificación con un sexo o el otro?*

Como ya hemos visto en páginas anteriores, cuando niños y niñas muestran conductas que se corresponden a los comúnmente considerados masculinos y femeninos, se están identificando con un sexo o el otro. (Véase nuevamente el cuadro de la página anterior).

"No me gustaría que fueran homosexuales"

Tengo dos hijos varones de 4 y 7 años. Por lo que leo en los periódicos y veo en la televisión parece que cada vez hay más homosexuales, tanto hombres como mujeres. ¿Significa esto que mis hijos tienen mayor riesgo de ser homosexuales? ¿Qué podemos hacer mi esposa y yo para prevenirlo? Porque, ciertamente, a mí no me gustaría que fueran homosexuales.

Es cierto que en la actualidad parece haber más homosexuales que en las generaciones pasadas. Al menos hay más personas que están dispuestas a manifestarlo y a ejercer **abiertamente** su sexualidad de acuerdo con esa condición.

Se piensa que en ocasiones las causas de la homosexualidad pueden ser de **origen biológico** (relacionadas con genes, hormonas, cromosomas, etc) pero en todo caso esto afectaría a una proporción **mínima** de los homosexuales.

La gran mayoría lo son por razones emocionales, afectivas, y de relaciones sociales y familiares. Y es aquí donde el **ambiente** ejerce una influencia importante en la orientación sexual.

Aunque hay muchas excepciones, los estudios realizados sobre la homosexualidad han identificado ciertas **características familiares** presentes en muchos homosexuales. Por ejemplo, madre dominante y padre débil, o madre excesivamente complaciente, o ambos padres crueles, o matrimonio mal avenido.

La mejor profilaxis es, pues, una atmósfera de **estabilidad** y de **paz** familiar. En particular, considere los siguientes consejos:

Para usted:

- **No muestre favoritismos** entre sus hijos.

- **Dedíqueles tiempo** en sus juegos y pasatiempos preferidos.

- Manténgase **firme en las reglas** familiares de importancia, y al mismo tiempo muestre afecto y cariño.

- **Acepte y respete** a sus hijos.

- **Aliente las actitudes y las actividades masculinas** de sus hijos, **sin menospreciar o ridiculizar** otras que parezcan menos propias de su sexo, como hacer las camas, limpiar el polvo, recoger la ropa...

Para su esposa:

- **No muestre favoritismos** entre sus hijos.

- **Evite los mimos excesivos** especialmente dedicados a uno de ellos.

- Mantenga **posturas uniformes** con su esposo, no se resten autoridad el uno al otro delante de los niños.

- A medida que crecen, déles **autonomía** para realizar sus actividades diarias. No los haga dependientes de usted.

- **No impida las actitudes y las actividades masculinas** y valore aquellas que tradicionalmente les han estado vedadas.

"Me pongo nerviosa y no sé qué decir"

A veces mis hijos pequeños me hacen preguntas sobre los órganos sexuales e incluso sobre el acto sexual. Yo me pongo nerviosa y no sé qué decir. Por lo general, salgo como puedo y los distraigo con otra cosa. Entiendo que esto no es lo mejor pero no sé cómo hacerlo de otro modo.

Sería bueno que usted aprovechase estos momentos en los que sus hijos hacen preguntas, porque dentro de unos años probablemente no las harán. Las explicaciones que como madre ofrezca a sus hijos en una edad temprana les serán mucho más útiles que la información que vayan recabando de otras fuentes.

Muchos padres y madres muestran una sensación de intranquilidad cuando tienen que abordar estas preguntas (especialmente los que no recibieron una buena educación sexual). Nuestros objetivos deberían ser las **respuestas naturales, claras, veraces** y con el **justo ingrediente moral**, pero alejándonos de la mojigatería.

Transcribimos a continuación unas cuantas respuestas a **preguntas típicas** de niños y niñas de diversas edades:

Niño de 3 años y su madre:

–¿Tú tienes esto? –Dice el niño señalándose el pene.

–Se llama pene, y todos los niños y los hombres lo tienen; las niñas y las mamás no.

–Y papá ¿lo tiene?

–Claro que sí, papá es un hombre, ¿no?

–Pero Teresa no...

–No, ya te he dicho que las niñas y las mujeres no tenemos pene.

Niña de 5 años y su madre:

–¿Por qué no tengo pene como Tomás?

–Porque las niñas y las mujeres no tenemos pene. Yo tampoco lo tengo. Nosotras tenemos vagina y ellos no.

–¿Y por qué tú tienes pechos y yo no?

–Son para dar leche a los bebés. Cuando tú eras pequeñita yo te daba la leche de mis pechos. Cuando te hagas mayor también los tendrás y así podrás alimentar a tus bebés.

Niño de 7 años a su padre:

–Luis ha tenido un hermanito. Se lo ha traído la cigüeña.

–¿Quién te lo ha dicho?

–Él. ¿Y de dónde lo ha traído la cigüeña?

–Bueno, en realidad, las cigüeñas no tienen nada que ver con los recién nacidos. Lo ha traído su mamá. El bebé ha estado viviendo durante unos meses dentro de su madre. Después de haber crecido lo suficiente, se ha preparado para salir fuera. Esto se llama parto y suele ocurrir en el hospital, a fin de que el bebé nazca sin riesgos ni complicaciones. ¿Recuerdas que hace unas semanas la mamá de Luis tenía un vientre muy grande y ahora no lo tiene?

–Sí, es verdad.

–Es porque el bebé ya ha nacido, es decir, ha salido fuera de su madre.

–¿Y cómo ha salido?

–Cuando llegó el momento del parto, el niño y la mamá empujaron hasta que asomó su cabecita por la vagina, que es un orificio que tienen las mamás entre las piernas;

entonces el médico ayudó tirando suavemente del niño. Y cuando ella lo vio por primera vez se sintió muy feliz de conocer y abrazar a su hijito.

Niña de 10 años a su madre:

–Mamá, ¿es cierto que besando y abrazando a un muchacho puedes quedarte embarazada?

–No, no es cierto. Para que exista la posibilidad de un embarazo un hombre y una mujer tienen que realizar el coito o acto sexual.

–¿Y cómo es el coito exactamente?

–El hombre y la mujer fueron creados diferentes para que pudieran amarse y tener hijos; tú ya sabes que los varones tienen pene y las mujeres vagina. Pues bien, cuando ambos están de acuerdo en realizar el acto sexual, pasan rato en compañía acariciándose y besándose. Ambos disfrutan de esta experiencia y se sienten muy unidos. Llegado el momento, el varón introduce el pene en la vagina de la mujer. Después se produce la eyaculación; es decir, del pene del varón sale el semen o esperma que contiene las células sexuales masculinas (espermatozoides). Si esto coincide con los días en que la mujer tiene la ovulación, es probable que el óvulo sea fecundado por uno de los espermatozoides. Entonces la mujer queda embarazada.

–Así que si yo hiciera el acto sexual quedaría embarazada...

–No. Una mujer solo puede quedar embarazada después de haber comenzado la menstruación. Y esto, como ya hemos hablado, te sucederá pronto. Pero has de entender que la menstruación indica tan solo que el cuerpo se está preparando para el acto sexual; un hombre y una mujer han de estar maduros para este acto y eso ocurre bastante más tarde; es decir, deben tener medios económicos para alimentarlo, vestirlo y educarlo; es necesario que sean una pareja estable para ofrecer seguridad al bebé, y que se amen profundamente a fin de poder transmitir este amor a su hijo.

El niño
y la escuela

7

MARÍA, con sus 6 años recién cumplidos, está contenta porque mañana irá a la escuela. Sus padres, parientes y otros amigos le han dicho que el colegio es muy divertido.

–Mamá, ¿puedo llevar mi osito de peluche?

–No, María, en la escuela tienen juguetes...

–¿Puedo llevar mi gatito?

–No, eso no es posible. En la escuela no se permiten animales.

–Entonces me llevaré mi botella de jugo de naranja...

–María, en la escuela te darán bebidas muy ricas. No te preocupes por llevar nada. Allí encontrarás cosas nuevas que te gustarán mucho.

María pensó un rato y finalmente, con sinceridad y naturalidad, dijo:

> No enviéis
> a vuestros
> pequeñuelos
> a la escuela
> demasiado
> precozmente.
>
> ELLEN G. WHITE
> Educadora norteamericana
> 1827-1915

> Enviáis a vuestro
> hijo al maestro, pero
> son los condiscípulos
> quienes lo educan.
>
> RALPH W. EMERSON
> Ensayista y filósofo norteamericano
> 1803-1882

—Creo que no me va a gustar la escuela porque allí no hay nada mío.

Con buena fe la madre de María intentaba presentar la escuela como algo muy atractivo, pero sin darse cuenta de que la verdadera necesidad de su hija era contar con algo suyo en ese entorno desconocido y algo inquietante.

Félix ya tiene 10 años y cursa el quinto año de educación primaria. Ahora está empezando a aprender nuevas operaciones aritméticas con decimales. Tiene la sensación de que estos conceptos son más bien difíciles, y se encuentra con que no los comprende bien. En cuanto hay alguna variación en la forma de presentar el problema, se pierde. Acude a su padre para confiarle su malestar, pero aquel está muy cansado después de la jornada de trabajo y lo remite al profesor. De nuevo, la necesidad de este niño es simple y quizá no requiera más que unos minutos de ejercicio sobre el papel. O tal vez, una conversación que le dé ánimo y seguridad personal, con el fin de que no se desaliente y continúe trabajando y aprendiendo. Sin embargo, su padre, involuntariamente, está frenando el aprendizaje y mermando la seguridad personal de su hijo.

En este capítulo el lector hallará los aspectos más relevantes que padres e hijos encuentran al tener el primer contacto con la escuela. Se especifican los niveles preescolar y escolar (separados por el comienzo de la escolarización obligatoria, que suele ser en torno a los 6 años), y para cada uno de ellos ofrecemos las características propias de la edad, los objetivos del nivel correspondiente y los problemas que pueden surgir, con las sugerencias oportunas.

Antes de empezar a ir a la escuela

Después de los primeros años de educación familiar llega el momento en que el niño observa el mundo y quiere enfrentarse al **desafío** de lo externo, de lo nuevo, de lo extraño. Ya no será su morada el único centro de aprendizaje; ahora lo debe compartir con una nueva casa, la **escuela**, sea esta la enseñanza preescolar o la primaria.

Con el comienzo de la escolarización llega para la familia un momento de grandes decisiones, ilusiones e incluso temores. Para algunas familias este trance resulta complejo y aun traumático en algún caso, pero es posible evitar los problemas por medio de una **preparación cuidadosa**. Y cuando este comienzo es feliz, será una etapa positiva para el niño y tranquilizante para su familia.

El padre y la madre, con sinceridad y calma, deben tomar algunas medidas preparatorias para escoger el centro escolar idóneo y para que el cambio resulte positivo, previniendo así cualquier forma de rechazo. Es natural que los padres se pregunten: ¿Qué podemos hacer para facilitar el mejor apoyo a nuestros hijos durante esta etapa difícil para ellos? Ofrecemos a continuación una lista de **recomendaciones** a tener en cuenta en la hora en que da comienzo su andadura en el centro escolar.

- Si el niño tiene **hermanos mayores** que asisten a la escuela antes que él, es una buena práctica que ya entonces sus padres lo lleven consigo cuando acompañan a los mayores o cuando los recogen. Al familiarizarse con las aulas, materiales, profesores, el pequeño desarrollará un deseo por ser como los mayores y por asistir a la escuela.

- Si el niño es **el mayor** o es **hijo único**, conviene seguir con él un programa de aproximación al ámbito escolar estimulando el gusto por la escuela en las conversaciones y en visitas a otros niños que también van a empezar a asistir.

- Es una buena idea someter al niño a una **completa revisión psicofísica** por parte del médico de familia o de un buen pediatra con el propósito de prevenir o subsanar cualquier problema que le pueda dificultar esta primera experiencia.

- La elección de un **buen centro escolar** es vital para que este cambio sea visto con entusiasmo por padres e hijos. Al escoger una escuela se ha de observar el espacio físico, verde, tranquilo, con sol y sin peligros externos.

- La **filosofía educativa de la escuela** ha de ser compatible con la de los padres para evitar confusiones o conflictos en las mentes y en los sentimientos de los pequeños.

- También deberían analizarse los **programas educativos** que ofrece la escuela.

Solo una minoría de padres los solicita; pero los que lo hacen tienden a ser respetados por la dirección de la escuela. Al examinar los programas educativos deben buscarse propuestas de enseñanza integral y armónica.

- Es también una ventaja **conocer quiénes son sus profesores**. Estos han de contar con la debida preparación profesional y también humana. Aunque en la actualidad resulte difícil encontrar este equilibrio, debe hacerse un esfuerzo para hallar docentes (maestros o maestras) que

Impuesta por necesidades socioeconómicas (trabajo de ambos padres, necesidad de ingresos complementarios...), la solución de la guardería no responde al ideal de educación para los más pequeños, cuya tierna edad requiere las atenciones y desvelos de una madre y un padre muy próximos a ellos. Con todo, si tales centros cumplen unos requisitos elementales de educación, higiene y afectividad, y los padres reservan unas horas cada día para estar con sus hijos, los perjuicios de esta solución límite tienden a disminuir.

sean **cálidos** y **amables** sin por ello dejar de ser **exigentes**. Esto proporcionará el mejor ejemplo para los hijos.

El periodo preescolar

En la mayoría de los sistemas educativos, la etapa preescolar va desde los 3 a los 5 años (pero a menudo comienza a edades incluso más tiernas, en las llamadas guarderías). A esta edad muchos niños acuden al llamado **centro preescolar** (llamado también jardín de infancia o *kindergarten*).

En la mayoría de los países la escolaridad obligatoria no comienza hasta los 6 años aproximadamente, de modo que el periodo preescolar es una opción que puede o no utilizarse. Es más, muchos padres tienen la convicción de que los primeros años de sus hijos son tan importantes que su educación ha de impartirse en el **hogar**. Si se cuenta con cierta preparación, tiempo y medios adecuados, esta es una buena opción.

En realidad, en muchos casos los centros preescolares han surgido para satisfacer una **necesidad socioeconómica**: Son casos en los que los padres trabajan o los niños provienen de familias monoparentales donde la madre trabaja fuera de casa, es viuda o separada; o bien el ambiente físico donde vive la familia no es el más idóneo; o quizás hay conflictos familiares que perturban el entorno psicoafectivo del pequeño.

Precisamente este es el origen de las **guarderías**, las cuales, poco después del nacimiento, se hacen cargo de los más pequeños. Hemos de advertir que si bien esta solución puede constituir el remedio en una situación límite, no es el modo ideal de criar a un niño que aún está en la lactancia o en la primera infancia.

Además, es preciso que estas escuelas maternales estén muy bien organizadas, con un programa que favorezca un alto grado de bienestar, y con **especialistas** para cuidar y educar a niños de esas edades, estimulando al máximo su desarrollo físico, emocional, social y moral; de lo contrario, los perjuicios ocasionados en la formación a su tierna edad pueden ser incalculables.

Se está redescubriendo el centro preescolar como preparatorio de la etapa escolar, y el número de inscripciones es cada vez mayor. Es sabido que su importancia en la formación de los niños es enorme. Es un periodo muy **plástico** para arraigar hábitos básicos que durarán toda la vida y marcarán la dirección de la conducta infantil.

Gracias a los progresos en la mayor parte de los países que disponen de buenos sistemas educativos, los gobiernos y los particulares están dando prioridad pedagógica a los centros preescolares o jardines de infancia. Como tales, deben ser verdaderos **jardines**, donde los niños jueguen alegremente, respirando aire puro y disfrutando de un programa educativo inteligente, que esté guiado por pedagogos expertos y conocedores de la tipología y las necesidades de los niños de esta edad.

Por tanto, el propósito de los centros preescolares no es servir de "armario" o "estacionamiento" infantil. En la actualidad las **características** de estos centros están muy bien definidas. Veamos las más importantes:

1. El edificio escolar ha de ser **funcional y práctico**, muy adaptado a las actividades de los niños menores de 5 años, que por naturaleza son dinámicos y propensos a los aspectos más lúdicos.

2. Tales centros estar situados en **terrenos amplios a pleno sol**, con **aire puro**, carente de contaminación y, si es posible, en recintos con **instalaciones recreativas**, donde los niños se sientan protegidos y libres al mismo tiempo.

3. Los maestros deberían ser **profesionales** con la correspondiente especialidad en **educación infantil**. Es esencial que conozcan a fondo la psicología, la sociología, la biología y la didáctica correspondiente al periodo preescolar.

4. Los programas han de apuntar a la **educación integral** (desarrollo armo-

Cada edad admite un determinado nivel de exigencia y requiere un grado específico de formación. Acelerar el proceso en busca de una innecesaria precocidad infantil, puede generar ansiedad y abrumar a los pequeños.

nioso de lo físico, social, mental y espiritual), y ser claros y concretos en sus objetivos.

5. La **didáctica** preescolar ha de contener métodos y procedimientos **lúdicos**, atrayentes y creativos a fin de mantener el interés de los niños. Conviene evitar esfuerzos de precocidad y ejercicios abundantes de memorización, u otros intelectualmente impropios de su edad.

6. Las actividades han de buscar siempre el **bienestar pleno**, evitando riesgos en las recreaciones y en los juegos. Las tareas de tipo mental han de ser **moderadas** para que no provoquen cansancio intelectual.

7. La música, la literatura, el teatro, la pintura y otras actividades infantiles, han de servir para estimular la **originalidad individual**, así como la **participación colectiva** que permita evitar ansiedad, rivalidad o actitudes orgullosas.

8. Se ha de **tener cuidado** con los cuentos, representaciones o vídeos que favorezcan **actitudes fantásticas**, alejadas de la realidad. La capacidad del niño para distinguir entre lo real y lo imaginario es limitada, y sobrepasar estos límites perjudica su conducta e incluso su descanso.

Los objetivos de esta etapa

Es importante tener en cuenta cuál es el **verdadero propósito** de la etapa preescolar. Hoy en día muchas instituciones de este nivel se dejan llevar por la moda de fabricar "niños superdotados" y prometen a los padres que sus hijos saldrán leyendo, escribiendo y realizando operaciones matemáticas o científicas.

Esta aparente precocidad la utilizan los padres para comparar a sus niños con los de los vecinos, parientes o amigos. Sin embargo, esta aceleración provoca en los pequeños **ansiedad**, esfuerzos impropios de la edad, estímulos intelectuales, afectivos y sociales malsanos, y, lo que es peor, arruinan una etapa feliz de sus hijos en la que es posible y deseable que aprendan sin perder su **natural alegría**.

Para el niño que asiste al centro preescolar han de fijarse una serie de **objetivos** que se hallen de acuerdo con su grado de desarrollo físico, intelectual, social y moral. Como ejemplo mencionemos los siguientes:

1. Cultivar la **espontaneidad** a fin de favorecer el desarrollo equilibrado y la libre participación.

2. Introducir al niño en una disciplina educativa que abarque no solo el programa didáctico, sino también las **relaciones interpersonales** y el **creciente autocontrol**.

3. Dar continuidad a la labor educativa iniciada en el hogar para **evitar** la **fractura hogar-escuela**.

4. Estimular la **curiosidad**, la **iniciativa** y la **autonomía**, pues constituyen la base para el desarrollo de la creatividad.

5. Proveer orientaciones acerca del cuidado físico y la preservación de la **salud**.

6. Alentar el desarrollo y perfeccionamiento de la **psicomotricidad**, ya que en ella radica el fundamento del aprendizaje.

7. Inculcar hábitos de **orden**, **economía** y **cooperación**.

8. Estimular **virtudes sociales**, **cívicas y laborales**, incluyendo el respeto hacia las personas y la naturaleza.

9. Realizar una labor **coordinada** y conjunta con la familia y la comunidad para una mayor adaptación y comprensión de su medio.

10. Profundizar en el aprecio por los **valores éticos y espirituales** como principios de una conducta digna.

La psicología del niño en edad preescolar

Existen muchas diferencias entre los niños en edad preescolar, ya que el desarrollo físico, mental, emocional o social es muy variado. Aquí intervienen numerosos factores como la **tipología**, la **salud**, la **afectividad** y las **relaciones familiares**. A pesar de todo, intentaremos esbozar un breve perfil del niño de esta edad.

Al salir de la lactancia y la primera infancia, los niños dan la impresión de haber alcanzado una meta. Su cuerpo ya no es tan regordete, les gusta correr, trepar, adquieren precisión en sus movimientos, y mejoran su coordinación. Tienen gran energía y parecen no cansarse de jugar, olvidándose hasta de comer u otras necesidades básicas.

Aun cuando hay numerosas excepciones, mucho niños de 4 años muestran cierto nerviosismo o ansiedad, y muchas veces parecen encontrarse "desorbitados". Cuando juegan les gusta dar patadas, puñetazos, gritar y llorar. A veces se muerden las uñas, se hurgan las narices o manifiestan un gesto copiado que se puede convertir en un tic facial si no se pone cuidado. (Véase, a lo largo del libro, la sección *"El Consejo del Psicólogo".*)

Al aproximarse al final de la etapa preescolar (alrededor de los **5 años**) la situación general mejora ostensiblemente. Con la debida orientación y corrección cariñosa por parte de los padres y maestros infantiles, esa energía desbordante se va ordenando y corrigiendo. De hecho varios psicólogos infantiles han llamado a esta etapa **"la edad deliciosa"**, porque el pequeño solo intenta lo que sabe que puede hacer y generalmente lo hace bien, siempre que se mueva en un contexto seguro y saneado.

El eminente psicólogo **Arnold Gesell** llegó a decir que el niño de 5 años «presenta un notable equilibrio de dualidades y pautas, de autosuficiencia y sociabilidad, de confianza en sí mismo y conformidad cultural, de serenidad y seriedad, de cautela y resolución, de cortesía y despreocupación, de amistad y de arrogancia.» Si bien es cierto que muchos padres considerarían esta declaración demasiado optimista, hemos de aceptar que el niño a esta edad experimenta un **avance general muy significativo**.

El niño en edad preescolar también progresa mucho en sus **facultades motrices** a medida que su cuerpo adquiere proporciones más parecidas a las del adulto. Este hecho le facilita los juegos y las tareas que requieren más **precisión** en los movimientos.

Intelectualmente está lleno de **curiosidad** y deseos de explorar el entorno. Parece tener una necesidad innata de investigar, manipular, aprender... Esto se evidencia por medio de sus preguntas constantes. De ahí que esta sea una oportunidad maravillosa para el **diálogo** entre el niño y el adulto.

Muchas personas conceden poca importancia a este periodo porque consideran que el niño es muy pequeño para entender y recordar. Pero esto no es cierto. Debido a la **descomunal actividad neuronal** de los primeros años de la vida, muchas de las experiencias tempranas quedan registradas en el sistema nervioso de forma inconsciente y desempeñan un papel importante en el desarrollo general posterior. No se debería privar a los niños de experiencias ricas y estimulantes, porque ello obstaculizaría su crecimiento.

Se ha llamado a los cinco años "la edad deliciosa" por su especial dinamismo, y también porque presenta un equilibrio psicológico que lo hace muy propenso a un saludable desarrollo integral.

La escuela primaria

A los niños que ya asistían a algún programa preescolar, la continuación en la escuela primaria no les resulta tan novedosa y sí menos traumática que a aquellos que no tuvieron esa experiencia. En cualquier caso, como veremos más adelante, la naturaleza y los **objetivos** de las etapas preescolar y primaria son **muy diferentes**.

Muchos padres no están acostumbrados a tener a su hijo tantas horas fuera de casa y tienden a echarlo de menos, sobre todo en las primeras semanas; pero quien tiene una mayor necesidad de adaptación es el niño que vive esa **etapa de ajuste o de transición** entre el hogar (o la etapa preescolar) y la escuela. Como es de esperar, la escuela formal está mucha más estructurada: horarios, recreos, lecciones, etcétera.

Todo esto suscita en el niño una extraña mezcla de novedades y de confusión que puede ser causa de alteración física o psicológica. El pequeño a veces llora y desea volver con los suyos, pero en la mayoría de los casos se hace el fuerte porque la escuela es el lugar para los niños mayores. La vida con su correr inexorable lo irá acostumbrando, la familia y la escuela llegarán a ocupar su justo lugar, y ambas experiencias podrán ser felices.

Este periodo de transición y adaptación no es siempre bien comprendido y aceptado por muchos niños y padres, que dramatizan la situación hasta darle un cariz de sufrimiento. La mejor forma de hacer frente a esta transición es la **prevención** llevada a cabo desde el ámbito familiar.

Por experiencia, hemos observado que los niños procedentes de **hogares estables** y que han recibido de sus padres cariño, atención y, sobre todo, aceptación, están **capacitados para adaptarse** a las nuevas situaciones que presenta la escuela.

En cambio, los que vienen de **familias inestables** y tensas, en las que el niño ha experimentado confusión, miedo, carencia de afecto, presiones económicas y otras ad-

continúa en la página 136

Posibles problemas del niño

En la inmensa mayoría de los casos, los problemas de conducta o de aprendizaje son pasajeros y no perturban excesivamente la marcha del buen desarrollo. A veces son fruto de la inmadurez, otras de alguna dolencia pasajera o de algún impacto emocional. Es conveniente que los padres estén al corriente de la naturaleza de estos problemas para saber considerarlos de la mejor forma o acudir a los correspondientes profesionales.

El miedo a la escuela. Muchos niños lloran al ir por primera vez al colegio, ya que no están acostumbrados a separarse de los padres. Es conveniente una buena **preparación psicológica**: hablar de la escuela, jugar a los colegios..., así como la actitud cordial y paciente de la maestra o maestro.

La pérdida de protagonismo. Por la naturaleza egocéntrica del niño, y por el cariño de los padres, es natural que el pequeño sea la "estrella" de la casa. En la escuela se convierte en "uno más". Esto, en un principio, puede producir un choque en el niño o la niña, pero se supera en la medida en que acepte que sus compañeros son iguales a él.

Cambios en la personalidad. La crisis momentánea debida a la separación de sus hogares puede ocasionar que ciertos niños dóciles y amables se vuelvan huraños, huidizos, agresivos o solitarios. Otros que eran pueriles y confiados se tornan recelosos o resentidos. Esto no debe asustar a los mayores.

Sentimientos de inadecuación. Ya desde esta edad preescolar, al compararse con otros niños, pueden empezar a desarrollar una autoestima pobre. Los padres y los maestros deben en todo momento facilitarles las tareas para que las cumplan no solo con éxito, sino con satisfacción personal.

Dificultades en la lateralidad. Es el sentimiento íntimo de nuestra simetría: nuestra izquierda, nuestra derecha. Muchos preescolares, especialmente los varones, tardan en alcanzar un buen sentido de la lateralidad. Esto les hace trastocar las letras y las palabras al hablar o leer. Es una característica bastante común que en casi todos los casos desaparece. En vez de forzarlos a "escribir bien" es conveniente que los niños aumenten su destreza por medio de ejercicios de psicomotricidad.

El niño zurdo. El dominio de la mano izquierda no es un defecto. Es producto de la lateralidad de ciertos niños (aproximadamente el 10%), para quienes dominan los músculos de su mitad izquierda. Es importante no forzarlos a utilizar la mano derecha, sino más bien facilitar las mejores condiciones para la mejor ejecución posible con la mano y pierna dominantes.

El niño con problemas de lenguaje. Algunos niños a esta edad empiezan a presentar alteraciones del lenguaje oral o escrito. Es bueno corregir estas alteraciones, que pueden obedecer a diversas causas. Las hay **orgánicas**, por **imitación** de los malos hábitos de otros, y también las hay **emocionales** o nerviosas. Algunos problemas se superarán con facilidad, pero otros requieren la participación de un especialista.

en edad preescolar

El niño hiperactivo. Casi todos los pequeños de esta edad son muy activos, dinámicos y ruidosos. Les gusta correr, saltar y gritar. Hay que brindarles **salidas constructivas**
a su **inmensa energía**, pues de lo contrario
pueden encontrar otras por sí mismos, tal
vez destructivas. Existe, a pesar de todo, la
hiperquinesia o hiperactividad (véase la página 94) que puede ser un problema emocional profundo o incluso neurológico.

**La carencia de control de los impul-
sos.** Hay niños que patean y rompen sus
juguetes, a veces golpean a otros para qui-
tarles algún objeto, lloran, gritan e insultan
constantemente. Generalmente son inma-
duros y copian sus actitudes de los mayores, de amiguitos o de algún programa audiovisual. Es evidente que necesitan un plan de
reeducación de la conducta que se ha de
aplicar inmediatamente (véanse las páginas
53 y 101-109).

El niño con falta de atención. Suele
ser distraído y de lento aprendizaje. Es frecuente que se deba a algún problema de la
vista o del oído, a deficiencias en el descanso, o a un mal programa de alimentación o de recreación.

El niño mentiroso o ladrón. El excesivo uso de cuentos fantásticos, películas y
relatos de ficción, en los que los niños mien-
ten y roban con frecuencia, les puede hacer
creer que esto es normal. Los padres han de
explicar al niño que estas conductas son ina-
ceptables y que deben evitarse a toda costa,
pues si se producen tendrán consecuencias
negativas (véanse las páginas 97 y ss.).

El niño que come poco. La cantidad de
comida que los niños ingieren varía significativamente de un niño a otro. Si el niño o
la niña goza de salud y conducta normales,
lo más probable es que esté comiendo lo
suficiente. Es importante, sin embargo, **evitar la formación de malos hábitos**, permitiendo el consumo de golosinas y dulces
a todas horas, o usando sistemas de recompensa basados fundamentalmente en cara-
melos y chocolate.

Dificultades en el sueño. En muchos
hogares no existe un buen programa de descanso. Las cenas tardías y pesadas obligan
a los niños a quedarse despiertos hasta tarde,
y al día siguiente, con falta de sueño, deben
madrugar para ir a la escuela. El niño en
edad preescolar ha de dormir al menos once
horas en un ambiente acogedor y tranquilo.

La curiosidad y el anhelo por encontrar respuestas caracterizan la inquieta edad del comienzo de la escolaridad. La participación activa del niño en la enseñanza facilitará mucho más su aprendizaje que la recepción pasiva.

- El desarrollo físico acelerado de los primeros años de la vida, disminuye pero sigue su curso normal. A partir de ahora y hasta el comienzo de la pubertad, el **crecimiento** será **lento y constante**. Para el momento en que comienzan la escolaridad, los niños ya han dejado atrás las proporciones anatómicas de los primeros años y se van asemejando más y más al aspecto corporal adulto.

- Por su caudal de **energía física**, el niño en edad escolar cuenta con una gran necesidad de movimiento y no puede estar sentado mucho tiempo. Corre mucho en los juegos y, hasta cuando habla o lee, cambia con frecuencia de posturas y de gestos. Esta característica ha de tenerse en cuenta a la hora de planificar tareas y actividades. El patio de recreo, precisamente, sirve de campo de entrenamiento para lograr una mayor coordinación y destreza física, trepando, corriendo, saltando, gritando y hasta peleando (preferiblemente en broma, claro está).

- Desde el punto de vista de la **salud**, cada vez va mejorando su sistema de defensas y las dolencias tienden a ser menos comunes que antes. A pesar de todo, es propenso a sufrir problemas dentales y enfermedades contagiosas comunes en los escolares. Por su energía exuberante, el niño resulta un paciente difícil sobre todo en la convalecencia.

- En cuanto al aprendizaje, el escolar asimilará los conocimientos mucho mejor si participa **activamente** que si se limita a escuchar sentado. Necesita tocar, manipular o manejar herramientas, y a pesar

viene de la página 133

versidades, encuentran **difícil** adaptarse al nuevo programa educativo. Algo similar les sucede a los niños caprichosos, sobreprotegidos y malcriados. Se trataría, pues, de prevenir estas tendencias defectuosas para facilitar un buen comienzo de la escolaridad.

La psicología del niño en edad escolar

En la inmensa mayoría de los países, como ya hemos repetido, la edad de ingreso en la escolaridad obligatoria está en torno a los 6 años. El niño de esta edad reúne una serie de **características propias** cuyo conocimiento facilita la tarea de los padres de niños en esta edad. A continuación describimos las más relevantes:

de que todavía no es muy hábil, disfruta con las actividades manuales.

- La curiosidad y el interés por **aprender cosas nuevas** es otro de los rasgos sobresalientes de esta etapa. El niño necesita la ayuda de padres y maestros para obtener respuestas y salidas a sus inquietudes y preguntas, que son muchas.

- Al comienzo de la escolaridad el **tiempo** y la **distancia** no le resultan conceptos claros, lo cual no debe frustrar a los padres que han de entender que el niño aún se mueve en lo concreto. Decirle al mediodía «saldremos dentro de tres horas» puede ser para un niño de 7 años lo mismo que asegurarle que «nos iremos mañana por la mañana». El tiempo y el espacio no tienen para ellos el significado que les damos los adultos.

Un niño, en su primer año de escolaridad, le decía por teléfono a su abuelita: «Quiero que vengas pronto.» «¿Cuándo?», preguntó su abuela. «En cuanto acabe de merendar», exclamó el niño, que estaba terminando su merienda y que parecía no comprender las implicaciones de que su abuela viviera a varios cientos de kilómetros de su casa.

- La formación será constante y el escolar aprenderá mucho; sin embargo, este **no** es el momento de **metas perfeccionistas**. Aprender a leer, a contar, a hablar con mayor soltura y mejor vocabulario; adquirir buenos hábitos en la comida, en la higiene, en los juegos; incluso mejorar su responsabilidad, son todas ellas metas deseables y apropiadas. Sin embargo, no es justo esperar de estos niños una perfecta ejecución de todas estas facetas. Más bien, se trataría de apreciar y estimular sus éxitos y el progreso continuo dentro de un plan flexible que no sea esclavo de pautas cuantitativas.

- Los escolares también experimentan un gran aumento de la **independencia**, les gusta sentirse mayores y autónomos, y no quieren que se los confunda con los preescolares. Esto requiere alguna variación en el **estilo paterno**: por ejemplo, tanto el padre como la madre han de considerar más su opinión, deseos y gustos, y sus aportaciones válidas deben de incorporar en los planes familiares.

- En los **juegos**, los niños y las niñas quieren **diferenciarse**. Los primeros juegan a los vaqueros o a los indios, mientras que las niñas prefieren ser maestras, en-

El comienzo de la edad escolar ofrece un buen momento para inculcar en el niño valores elevados y hábitos espirituales. Enseñarle a orar le proveerá una útil herramienta para comunicarse con su Creador en las situaciones más dispares.

Junto a los conocimientos intelectuales, la educación integral ha de propiciar el contacto con la naturaleza. De este se derivarán benéficos efectos para la salud y la posibilidad de una expansión de carácter lúdico, ideal para los pequeños.

por encima de la preparación de nuestros hijos o del ritmo de su desarrollo individual, podemos provocarles tensiones, temores o traumas que complicarán su aprendizaje e incluso su personalidad.

Los objetivos de la etapa escolar

La educación primaria tiene como gran objetivo iniciar a los niños en la fascinante aventura del **conocimiento sistemático**. En ella aprenden las herramientas básicas para hacer frente a la vida en sociedad: lectura, escritura, matemáticas. Además el niño continuará en esta fase su desarrollo integral: físico, social, mental y espiritual.

La escuela, lejos de ser un centro de "estacionamiento infantil", cuenta con una serie de objetivos propios que la ayudan a cumplir su auténtico cometido. La comprensión y contemplación de los mismos por parte de padres y maestros contribuye a que el proceso educativo no se desvíe de su verdadera **función integral**. He aquí los objetivos más destacados:

1. **Desarrollar aptitudes psicofísicas** como forma básica del desarrollo intelectual y de toda la personalidad.

2. **Enseñar hábitos saludables** de higiene, alimentación, recreación y reposo.

3. **Estimular la convivencia con otros niños** para alcanzar una socialización adecuada, y desarrollar una sensibilidad social sin prejuicios étnicos o raciales.

4. **Propiciar felices encuentros con la naturaleza**, conociéndola, apreciándola y defendiéndola.

continúa en la página 140

fermeras o mamás. A veces, y especialmente en juegos como correr, saltar o jugar a las tiendas, les gusta hacerlo juntos.

- Sienten una atracción especial por las representaciones teatrales en las que participan. Por este motivo, la **dramatización** es una fuente muy importante de aprendizaje que se lleva a cabo con placer, y resulta conveniente siempre que no sea complicada ni demasiado fantasiosa.

- El **mundo afectivo** del niño se enriquece significativamente. Este agradece las efusiones sencillas y sinceras con gestos cariñosos, y las actitudes morales nobles por parte de las personas. Es un momento ideal para la enseñanza de buenos hábitos en lo que se refiere a la **espiritualidad**. La oración, la fe, el amor a Dios y a nuestros semejantes, son aspectos que pueden aprenderse ahora sin las barreras que aparecen en los años posteriores.

En suma, diremos que estas características pueden ayudar a los padres a darse cuenta de las **posibilidades reales** de sus hijos. Muchos adultos muestran deseos legítimos de metas altas y grandes triunfos. Pero si exigimos y esperamos algo que esté

El triángulo educativo

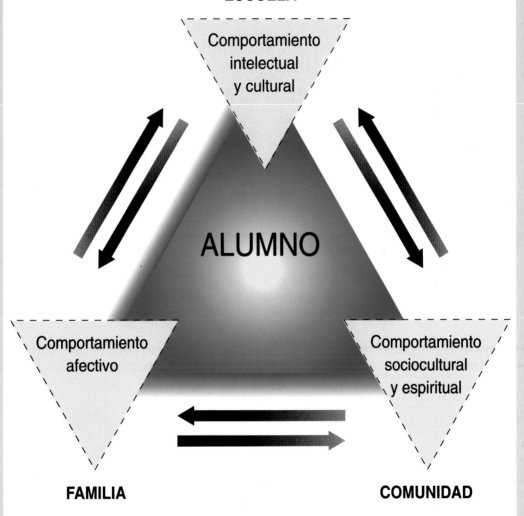

ESCUELA

Comportamiento intelectual y cultural

ALUMNO

Comportamiento afectivo

Comportamiento sociocultural y espiritual

FAMILIA

COMUNIDAD

En el proceso educativo del niño intervienen de manera decisiva tres ámbitos: el familiar, el escolar y el social. Para que este proceso se lleve a cabo de modo satisfactorio, estos tres agentes deberían procurar converger en sus objetivos y métodos.

La escuela es un formidable centro de socialización para niñas y niños. Ubicada en un entorno agradable, y a ser posible natural, está llamada a favorecer el desarrollo multifacético de la personalidad infantil, impartiendo conocimientos prácticos, estimulando la creatividad y educando en sólido valores ciudadanos.

viene de la página 138

5. **Facilitar una actitud de prudente confianza** en sí mismo, en las instituciones y en sus mayores.

6. **Despertar admiración por el trabajo bien hecho** y aprecio por las profesiones y ocupaciones útiles, por humildes que estas sean.

7. **Incentivar el espíritu creativo** para no inhibir la espontaneidad del niño.

8. **Estimular el conocimiento intelectual** con énfasis en las aptitudes y destrezas básicas: la lectura, la escritura, y las matemáticas como introducción a la labor científica.

La escuela y los valores

Uno de los aspectos en los que la escuela puede intervenir de forma muy positiva, es la enseñanza de los valores éticos o morales. Una buena escuela cuenta con la capacidad para asistir en la formación de ideales y de principios que guíen la conducta de los niños en el presente y en el día de mañana, cuando se integren plenamente en la vida adulta.

En la sociedad actual el centro escolar puede llegar a ser el único lugar para aprender **principios básicos** de moral. Desafortunadamente la **familia** conflictiva es cada vez más frecuente; muchos hogares son inestables o están rotos, y en otros los cónyuges sostienen valores en conflicto. E incluso entre las familias que suscitan una impresión menos negativa, las hay que están llenas de **formalismo** e **inconsecuencia** en la vida moral y religiosa.

Si a esto añadimos las condiciones de los que habitan en **viviendas precarias, mal ubicadas, sin patios y sin sol**, o en ambientes impregnados por un concepto erróneo de la alimentación, la recreación, el reposo y el trabajo, entonces la escuela se hace aún más necesaria.

Por su parte, el **barrio** o vecindario a veces resulta ser un foco de influencia negativa, con malos hábitos, delincuencia, drogas, etcétera. Y si nos fijamos en los **medios de comunicación**, encontramos mucha falta de control, publicidad agresiva y mensajes con fines exclusivamente consumistas.

El centro escolar ha de adoptar el papel de mejorar el **bienestar psicofísico** del niño en una etapa fundamental de su desarrollo. Debe constituir un baluarte defensivo frente a todo tipo de corrupción, sentando las bases de un **servicio altruista**. Su misión es contribuir al desarrollo infantil en pos de un **carácter armónico**, emocionalmente equilibrado, bondadoso y firme en los principios y creencias adoptados. Debe impartir los hábitos de convivencia sin asperezas, en un mundo necesitado de **amor** y de **solidaridad**.

Cómo ayudar a nuestros hijos

La edad escolar marca el comienzo del papel protagonista de la escuela y la comunidad.

Sin embargo, la familia continúa siendo en la mayoría de los casos la **base** a la que el niño o la niña retorna constantemente, en busca del necesario apoyo emocional. Son el padre y la madre, de acuerdo con sus ideales de vida, los máximos responsables de programar, guiar y supervisar la educación de sus hijos, incluso en la edad escolar, y con la estrecha colaboración de los maestros.

En todo momento, el **diálogo** entre la maestra o el maestro, y los padres, ha de ser **constante, fluido, amable y franco**. Ningún progenitor debería experimentar resentimiento si el maestro hace observaciones a la conducta del niño u ofrece consejos. Todo esto es necesario para mantener la **coherencia** y la **continuidad educativa**, y para el desarrollo de la personalidad global.

Los padres que desean un éxito escolar auténtico han de esforzarse en comprender que el secreto está en la **colaboración** con sus hijos en el cumplimiento de las tareas escolares, sin sentimentalismos, sin rezongos y sin proteccionismos. Jamás deberían erigirse en frente de oposición a la escuela ni culpabilizarla por el ritmo o el método de aprendizaje. Si consideran que hay razones, entonces deben conversar serenamente con el docente y buscar de común acuerdo el modo más eficiente de colaboración.

En **conclusión**, hemos de decir que este periodo tan importante de la vida del niño reclama atención, disponibilidad e inteligencia de los padres. Todos los niños son diferentes y hay que conocerlos a fondo.

Al dedicar tiempo a sus hijos, ayudándolos con sus tareas escolares, no solo está usted colaborando en su desarrollo académico sino que además está usted nutriendo su relación con ellos. Puede también pedirse consejo a los especialistas o recurrir a la lectura de buenos libros. Abordando los problemas con miras amplias, podrá llevar a cabo un *programa global de desarrollo* continuado y con éxito.

Los padres frente al desafío escolar

Los padres pueden hacer mucho para favorecer el desarrollo escolar de sus hijos. No tienen que ser especialistas en metodología pedagógica, sino más bien aplicar principios simples pero eficaces. Considere el lector los siguientes:

1. **No disculpe** a sus hijos un mal comportamiento. Esto simplemente lo enfrentará a usted con la escuela y sus maestros. y provocará en el niño ociosidad o indolencia.

2. **No amenace**, grite, ni castigue cuando el niño ofrezca alguna dificultad real o imaginaria. Analice las causas. El mundo infantil es enigmático y no hay que apresurarse a la hora de establecer conclusiones.

3. **No compare** a su hijo con otros niños, ni lo avergüence. Este método tiende a provocar una reacción contraria a la esperada.

4. **Ayúdelo en sus deberes escolares**, aclarándole dudas, conceptos o planteamientos, pero no haga los deberes por él, mas bien enséñele cómo organizar su aprendizaje.

5. **Resuelva sus dudas** de forma tranquila, atrayente y participativa; pronunciando bien las palabras, repitiendo la explicación cuando sea necesario. Los fundamentos del saber han de aprenderse firmemente.

6. **Evite comentarios negativos** acerca del maestro (o la maestra): que es injusto, que es duro o que es demasiado exigente.

7. **No prive a su hijo de comidas, reposo o cariño** como represalia a su bajo rendimiento. Se trata de elementos esenciales para satisfacer sus necesidades físicas y psicológicas.

8. **Recuerde que en todos los niños no emergen las capacidades a la misma edad** ni al mismo ritmo. Muchas aptitudes que ahora no muestra, aflorarán después, según su maduración.

9. **No lo recargue con actividades extraescolares** como clases de idiomas, música, danza, pintura..., especialmente si el niño pasa por un periodo difícil de aprendizaje.

10. **Vele por su salud física y emocional**, no sea que la tensión, la ansiedad y el temor al fracaso lo perjudiquen y le provoquen taras de naturaleza psicológica. Acuda a un profesional cuando vea que el problema excede sus posibilidades.

"Ha vuelto a hacerse pis"

Nuestro niño ya tiene 6 años y ha vuelto a hacerse pis en la cama. Tuvo un periodo entre los 3 y los 5 sin ningún problema. Después empezó a asistir al preescolar, y lleva un año en el que al menos dos o tres días por semana se lo hace en la cama. ¿Puede esto considerarse normal?

No es normal que un niño de 6 años se orine regularmente en la cama. Sin embargo, es un fenómeno frecuente (en torno al 20% de los pequeños), que se da más en los niños que en las niñas y, en todo caso, cuenta con altas probabilidades de corrección.

La **enuresis nocturna** (nombre clínico que indica la incapacidad para contener la orina durante las horas de sueño) es el trastorno más frecuente de la función eliminatoria.

Parece claro que el caso de su hijo es una **enuresis secundaria**, es decir, una enuresis que aparece después de haberse habituado a contener la orina durante la noche. En la mayoría de estos casos, la regresión se debe a alguna razón externa.

Cualquier cambio de importancia, como el que usted menciona –el ingreso en la escuela–, puede ser el detonante de este problema. Así pues, intente actuar sobre esa u otras posibles causas de tipo ambiental.

Prueben a potenciar los lazos afectivos con el pequeño, a fin de que no contemple su acceso a la escuela como una pérdida del cariño de ustedes, y dedíquele tiempo, jugando y hablando con él más de lo normal. Tengan en cuenta los siguientes principios:

1. La **atmósfera familiar general** tiene un efecto directo sobre el control de los esfínteres; los ambientes de sobreprotección, de abandono afectivo, de crisis conyugal, de poca comunicación y de desorden general, pueden agravar considerablemente el problema.

2. El **exceso de severidad**, sobre todo a la hora de hacerse pis, es claramente negativo; la posición ideal es la neutra, según la cual no se alaba al niño por su falta de control, pero tampoco se lo castiga.

3. El **juego** y el **deporte** constituyen una excelente vía de canalización de tensiones. Actividades al aire libre con niños de su edad pueden ayudarlo mucho a superar el conflicto.

4. La **regularidad** en los horarios de las comidas, de acostarse y levantarse, y en cualquier rutina diaria, debe ser respetada a toda costa. Como en muchos otros problemas psicológicos, traten siempre de orientar sus esfuerzos hacia la presunta causa del conflicto, ya sea este el comienzo de la escuela, un cambio de domicilio, una separación conyugal, o el nacimiento de un bebé.

5. Por último (y este punto solamente debe considerarse cuando parece no haber problemas de tipo emotivo) existen **sistemas de entrenamiento de esfínteres** (como el aparato de alarma conocido por el nombre de "Pipí-stop"), que se centran en el síntoma y no en la causa. Todas las consultas de psicología cuentan con estos aparatos para el uso de los pacientes y ofrecen la información necesaria para su uso correcto.

El niño intelectualmente deficiente

Existen niños que desde su nacimiento, o a temprana edad, ven frenado su desarrollo mental y requieren una mayor atención y dedicación por parte de padres y educadores.

Basándonos exclusivamente en el C.I. (cociente intelectual) y según la escala asociada al test Terman- Merril, nos encontramos con que un 1% de la población posee un C.I. inferior a 60, es decir, pertenecen a un grupo que la psicología denomina como deficiente.

Incluso dentro de este grupo encontramos subgrupos:

Ligeramente retrasados: Con un C.I. que oscila entre 50-60. Pueden recibir educación y son capaces de cuidar de sí mismos.

Moderadamente retrasados: Con un C.I. entre 30-50. Dependen de otros para vivir, aunque son capaces de aprender aspectos rutinarios y básicos de la vida.

Gravemente retrasados: Su cociente se encuentra por debajo de 30. No pueden cuidar de sí mismos, ni es posible su enseñanza; necesitan vigilancia constante.

No podemos negar que el C.I. es un determinante básico para diagnosticar una posible deficiencia intelectual, pero no es el único. Los factores psicológicos, sociales y educativos son también importantes. Según Edgar A. Doll, psicólogo norteamericano, para considerar a una persona como deficiente intelectual se debían ponderar seis aspectos:

- ser socialmente incompetente,
- tener un C.I. inferior a 60,
- ser retrasado intelectualmente desde el nacimiento o desde muy temprana edad,
- tener retraso en la madurez de la personalidad,
- subnormalidad de origen constitucional y
- definitivamente incurable.

Cuando se da el caso de un niño con retraso en su desarrollo intelectual, los padres adoptan una de estas posturas:

- **Reconocimiento:** Es la reacción idónea, consistente en aceptar la realidad del retraso de su hijo. Los padres reconocen sus limitaciones e intentan desarrollar al máximo las capacidades del niño.

- **Disimulo:** Tratan de ocultarse a sí mismos las limitaciones de su hijo, buscan explicaciones y culpables que justifiquen la deficiencia, se niegan a aceptar la realidad y prefieren considerarlo perezoso, torpe o rebelde; como consecuencia de ello, le niegan la preparación que lo beneficiaría eficazmente.

- **Negación:** Es la reacción de aquellos padres que no aceptan la incapacidad de su hijo y se limitan a negarla y esperan que alcance el nivel de los demás niños. Además, en ocasiones se muestran duros, en su empeño por forzar al niño a superar su retraso; pero lo único que consiguen es trastornar emocionalmente a la criatura.

C.I.	Calificación
50-60	Ligeramente retrasados
30-50	Moderadamente retrasados
<30	Gravemente retrasados

El niño superdotado

El 1% de la población posee una inteligencia privilegiada, dotada de un modo especial, e incluye el grupo denominado "niños prodigio".

Estos niños intelectualmente privilegiados, que superan el 140 de C.I. (cociente intelectual), deben esta superioridad a dos factores:

- **Herencia:** La familia suele poseer un nivel alto de inteligencia.
- **Estímulos ambientales:** La ayuda y el apoyo por parte de los padres, y la oportunidad para la adquisición precoz de conocimientos.

En el aspecto fisiológico su cerebro no presenta ninguna particularidad que los distinga de los demás, pero manifiestan una madurez precoz.

Se divierten y gozan de los juegos como todos los niños, y sin embargo sienten un interés poco común por lo que sucede a su alrededor, reaccionando de modo poco habitual; son más activos, más rápidos en sus reacciones, aprenden a hablar antes que los demás (con excepciones, como el célebre Einstein) y suelen aprender a leer muy precozmente.

Padres y profesores, trabajando **conjuntamente**, pueden ayudar a estos niños en dos aspectos muy importantes, como son el máximo despliegue de sus capacidades, y el desarrollo armónico y equilibrado de su personalidad.

De lo contrario, estos niños tienden a aburrirse en las clases y por tanto a rendir a bajo nivel, con una alta inci-dencia de fracaso escolar. Para evitarlo, sugerimos que se sigan las siguientes pautas:

- Los niños deben aprender las técnicas necesarias para hallar **por sí mismos** sus propias respuestas a los problemas.
- Sus educadores han de enseñarles a debatir, a **cuestionarse** todo lo cuestionable, a argumentar sus razonamientos y conclusiones, y a emplear la imaginación.
- Facilitarles el proceso de formación con una **biblioteca** amplia y diversa.
- Los profesores han de permitir que el **ritmo de aprendizaje** de estos niños sea diferente, no frenar su avance ni supeditarlos al ritmo de los demás.
- Estimular al máximo su **sociabilidad** y refrenar su impulso a alardear de sus dotes ante los demás.

El rendimiento escolar
a partir de los 10 años

¿Cuenta mi hijo con buenas condiciones?

Responda SÍ o NO a estas preguntas acerca de su hijo o hija:

	SÍ	NO
1. ¿Está experimentando un desarrollo global equilibrado? . . .	❑	❑
2. ¿Posee la inteligencia suficiente?	❑	❑
3. ¿Pasa demasiado tiempo jugando o con sus amigos/as?.	❑	❑
4. ¿Tiene buena memoria?	❑	❑
5. ¿Carece de los conocimientos y destrezas básicas que a su edad debería tener?	❑	❑
6. ¿Le agrada, en general, el centro educativo al que asiste?	❑	❑
7. ¿Tuvo algún accidente o enfermedad larga el año pasado?	❑	❑
8. ¿Habla bien de los profesores?	❑	❑
9. ¿Ha tenido algún problema de disciplina en el curso pasado?.	❑	❑
10. ¿Le gustan la mayoría de las asignaturas?.	❑	❑
11. ¿Se levanta muchas veces de la mesa cuando hace sus deberes?	❑	❑
12. ¿Los hace siempre a la misma hora?	❑	❑
13. ¿Estudia casi siempre con sus amigos?	❑	❑
14. ¿Efectúa un estudio activo, con papel y lápiz, calculadora, etcétera?.	❑	❑
15. ¿Deja el estudio para el día antes del examen?.	❑	❑
16. ¿Subraya lo más importante al leer los libros de texto?	❑	❑
17. ¿Ve la televisión más de una hora al día?	❑	❑
18. ¿Estudia primero y se divierte después?	❑	❑
19. ¿Hay peleas frecuentes en la familia?	❑	❑
20. ¿Dispone de un sitio tranquilo para estudiar?	❑	❑

Baremo

PREGUNTAS PARES: Sume **un punto** por cada **respuesta afirmativa** y cero si ha sido negativa.

PREGUNTAS IMPARES: Sume **un punto** por cada **respuesta negativa** y cero si ha sido positiva.

Evaluación

0-3 puntos: Fracaso escolar probable. La situación requiere acción inmediata.
4-7 puntos: Las condiciones de estudio necesitan mejorarse.
8-13 puntos: Las condiciones son normales.
14-17 puntos: Las condiciones son muy buenas y los resultados deben ser satisfactorios.
18-20 puntos: Condiciones excelentes.

Educación integral

La educación integral es aquella que entiende que el ser del niño está constituido por cuatro dimensiones, las cuales han de ser atendidas en orden a su plenitud personal:

- física,
- mental,
- social y
- espiritual.

En virtud de ello, la educación integral tiende al desarrollo completo del pequeño. Su objetivo inherente es modelar una **personalidad equilibrada y armoniosa**, equipada para responder a las exigencias morales y sociales.

La educación integral se arraiga en la convicción de que el ser humano es una **entidad psicosomática indivisible**, en la que los aspectos típicamente intelectuales influyen en los más puramente físicos o somáticos, y estos en aquellos. A su vez, ambos tipos de elementos tienen una decisiva influencia en la dimensión espiritual, que, por su parte, es susceptible de incidir de modo relevante en el conjunto del individuo.

De especial importancia es, en razón de lo anterior, la pedagogía que potencia al máximo el despliegue de los **talentos** infantiles, pero sin perder de vista las consideraciones éticas. Así pues, tal orientación educativa persigue la edificación del carácter a la par que el desarrollo físico-intelectual.

El fin máximo de la educación integral es hacer del niño un ser **básicamente feliz** y que, a su vez, contribuya a hacer felices a quienes lo rodean.

En concreto, mediante la educación integral se pretende:

- Formar un **cuerpo sano** y resistente.
- Desarrollar la **creatividad.**
- Un **dominio del cuerpo** que ayude al perfeccionamiento de la personalidad.
- Potenciar la **observación** y la **reflexión**.

- Ansia de **saber** y búsqueda de la **verdad**.
- Una **personalidad madura**.
- Establecer con la **naturaleza** una fuerte relación de **respeto** y **amor**.
- Una **convivencia** agradable con los demás.
- Una **paz interior** que trasciende al exterior.

En la actualidad los programas de educación cubren perfectamente el apartado intelectual del niño. Tanto los profesores como los padres se preocupan de que los niños reciban una instrucción óptima.

Tampoco ofrece problemas el desarrollo armónico del cuerpo; los centros escolares ofrecen múltiples actividades –aparte de la gimnasia tradicional y los deportes–, como ballet, natación, equitación... Otros complementan provechosamente la educación de los niños, enseñándoles útiles oficios por medio de la debida atención a la destreza manual.

Sin embargo, la sociedad actual soslaya la **dimensión espiritual** del niño, mutilando así la educación integral. Y resulta que hoy parece más necesario que nunca educar en valores éticos y religiosos desde la más tierna infancia (véanse las páginas 179-181).

Si atendemos a la educación de nuestros hijos en todas sus dimensiones, la sociedad del futuro estará formada por hombres y mujeres **íntegros**, en el más amplio sentido del término.

8

La autoestima

SILVIA es una niña de 11 años, tímida e insegura. No tiene amigas íntimas y su madre es la única persona en la que ocasionalmente confía. Después de varios intentos por sacarle alguna información precisa, la madre, que la ve melancólica, se sienta a su lado y, con el brazo sobre sus hombros, le dice en voz baja:

—Anda, cuéntame lo que te pasa. Seguro que no vas a perder nada con decírmelo.

Silvia no puede hablar por la emoción, y rompe en un fuerte sollozo que había estado conteniendo. Finalmente explica a su madre:

—No sirvo para nada, no saco buenas notas, no gano nunca en los juegos, nadie me quiere, no me gusta mi pelo, ni mis manos ni mis piernas, tengo una letra fea... y para colmo hoy en la clase el profesor ha dicho que formásemos grupos para un trabajo en equipo y todos los grupos se han formado enseguida, pero yo me he

> La construcción
> de la autoestima
> es la piedra angular
> que permitirá
> a los niños desarrollar
> con plenitud
> lo que llevan dentro.
>
> DOROTHY C. BRIGGS
> Psicóloga norteamericana

> La estima de sí no es
> tan vil pecado como
> la desestimación de
> uno mismo.
>
> SHAKESPEARE
> Dramaturgo inglés
> 1564-1616

Son múltiples los factores que favorecen una mayor o menor autoestima infantil; en todo caso, su influencia es tal que puede impulsar o inhibir el sano disfrute de la vida.

quedado sola. Y por las miradas de los demás, me he dado cuenta de que nadie me quería con ellos.

Silvia comienza a llorar de nuevo. La madre trata de consolarla diciendo que esos compañeros de clase son desconsiderados. Pero el problema tiene raíces más profundas. La autoimagen de Silvia se ha ido formando con los años, por medio de los mensajes procedentes de sus compañeros, amigos y familiares, así como de su propio razonamiento negativo. Ahora Silvia no siente respeto por sí misma; no se considera capaz de nada y con frecuencia se encuentra triste.

Por otra parte Patricia, de la misma edad que Silvia y con una apariencia externa y unas facultades intelectuales similares, ofrece resultados muy diferentes. Patricia realiza sus actividades con seguridad y confianza. Sabe que a veces las cosas no salen bien y por ello, cuando algo no funciona, lo considera producto de las

circunstancias y emprende de nuevo la tarea. Sus notas escolares son generalmente buenas y, a pesar de que algunas asignaturas le causan problemas, se esfuerza lo suficiente para obtener al menos un aprobado. No se considera ni fea ni guapa, ni lista ni torpe y, lo que es más importante, está contenta con ser como es.

¿Por qué esta diferencia? Silvia y Patricia no provienen de clases sociales distintas ni tienen un coeficiente intelectual diferente. La situación solo se comprende si se tiene en cuenta que Silvia se mira a sí misma en el espejo del autoconcepto, donde encuentra una imagen deprimente que le quita todas las fuerzas para alcanzar sus propósitos. En el caso de Patricia, su espejo le devuelve una imagen positiva, natural, con cosas que mejorar, pero con perspectivas de desarrollo.

En este capítulo tratamos de familiarizar al lector con la forma en que se desarrolla la autoestima y la notable influencia que el mundo adulto ejerce para orientar el autoconcepto de los niños en una u otra dirección. Explicaremos el concepto de autoestima y la manera en que se forma con el desarrollo infantil.

También mencionaremos los diversos factores que afectan al proceso de edificación de la autoestima y los resultados positivos y negativos que producen. Finalmente, ofrecemos una serie de directrices a los padres con el propósito de que estos puedan favorecer el desarrollo armónico de la autoestima de sus hijos.

¿Qué es la autoestima infantil?

La mayor parte de los psicólogos actuales considera que la autoestima infantil es la **configuración organizada** de su propia imagen que los niños van edificando a partir de la percepción de sus capacidades o de sus limitaciones. Esta configuración les facilita o les dificulta el modo de conducirse frente a los demás.

La autoestima es para el niño como su retrato consciente, su autenticidad, cómo se considera a sí mismo, lo que espera de sí y de su capacidad; es su **documento de identidad interior.**

David Ausubel considera que la autoestima en el niño es el resultado de la combinación de tres **elementos**:

- su **aspecto físico,**
- las **imágenes sensoriales** y
- los **recuerdos personales.**

Estos componentes debieran guiar a padres y maestros para ayudar a los niños a aceptar su aspecto físico y mejorar su apariencia; para darles mejores oportunidades de crecer y gozar de una buena salud, mejorar su alimentación y su reposo, y ayudarlos a no preocuparse tanto por el tamaño de las orejas o de la nariz, o por el color de la piel. La belleza es un concepto muy relativo y la autoimagen puede alimentarse mejor a través de **comentarios positivos** que mirándose al espejo.

También son importantes las experiencias sensoriales, sociales y afectivas generadas por recuerdos personales de satisfacción, bienestar, éxito y felicidad. Muchos autores han constatado que la autoestima adecuada en la niñez desempeña un papel decisivo en el bienestar psicológico posterior. Las personas que tuvieron una **infancia feliz**, no importa su origen étnico o social, suelen ser optimistas, dinámicas y triunfadoras.

Carl Rogers, cuya contribución a la psicología actual ha sido enorme, identifica estas **características básicas** de la autoestima:

- es **consciente**;
- es una **estructura organizada**;
- contiene **percepciones**, **valores** e **ideales**;
- es una **hipótesis provisional** que la persona formula acerca de *su* realidad, no de *la* realidad.

Precisamente, cuando Rogers dice que la autoestima es consciente se refiere a que toda persona, desde su niñez y a lo largo de su vida, va tomando conciencia, no siempre acertada, de sus propias aptitudes, cualidades y del grado de aprobación social que recibe. También constata sus fracasos, desilusiones, incapacidad y limitaciones. Estas **percepciones** constituyen un crédito o un débito en la cuenta personal del individuo frente a la sociedad.

Tal acumulación de experiencias, junto con los ideales y valores adquiridos a través de la educación, se incorporan a la personalidad del sujeto hasta formar una **estructura organizada** que le permite actuar con mayores o menores garantías, y alcanzar uno u otro grado de **bienestar interior**.

De este modo se forma una "hipótesis", siempre provisional y mejorable de la propia realidad individual. Es, por tanto, de suma importancia que los niños adquieran una **imagen personal** positiva y estimulante.

Debemos también recordar que la autoestima derivada del autoconocimiento (autoconciencia) es el **único atributo exclusivo del ser humano,** y lo distingue de los demás seres biológicos, los cuales desarrollan sus diferentes conductas sobre la base de instintos, condicionamientos genéticos o tendencias automáticas de ataque o defensa.

Cómo se forma la autoestima

La experiencia del niño en busca de su **propia identidad** empieza desde que nace y se acrecienta con su paulatino desarrollo, por efecto del **ambiente** que lo rodea, por las **lecciones** que los padres le dan en las pequeñas actividades cotidianas, por los **afectos** y cuidados que le prodigan, tíos, abuelos y amigos. De este modo se construye esta maravillosa cadena que permite el desarrollo y el crecimiento del niño hasta llegar a su autoconocimiento y a una madurez plena. Es cierto que cuando hablamos de desarrollo, no solo nos referimos al biológico sino también al psicológico, al social, al moral y al espiritual.

Desde su época de lactante, y especialmente a través de la interacción con la madre, el niñito va adquiriendo la **conciencia de sí mismo.** Esta apercepción contribuirá significativamente a formar una personalidad única e irrepetible.

En una primera etapa el niño se ve a sí mismo como el centro del universo. Este **egocentrismo** aparece por una tendencia innata a la subsistencia. El pequeñín es inocente, es endeble, no se basta por sí mismo y es el objeto del cuidado y el mimo de todos. Pero a medida que crece, sus padres, sus maestros, sus amiguitos le irán enseñando que no todo lo que es suyo lo ha de disfrutar solo, por lo que debe aprender a compartir, a jugar con otros, a comer con otros.

En la convivencia humana la compañía, la colaboración, el respeto y la solidaridad son ingredientes básicos en toda relación que haya de tener éxito. Así, el pequeñín irá aprendiendo una serie de **autocontroles** si quiere disfrutar la felicidad de la vida con los demás, respetar y ser respetado, amar y ser amado.

Y con el paso del tiempo el niño irá saliendo de la "cueva de su yo" egocéntrico para **adaptar *paulatinamente* el concepto de sí mismo en relación con los demás**. De este modo irá afirmando su autoestima y adquiriendo un autoconcepto equilibrado y armónico.

La autoestima es una experiencia que reside en el interior de nuestro ser; no es lo que otros piensan de mí o creen que puedo ser, sino radica en la propia convicción de lo que yo soy capaz. Es como mi autorretrato, que en algunos aspectos está relacionado con los conceptos que otros tienen de mí, pero que en otros muchos es diferente.

El éxito –individual o colectivo– suele contribuir a la elevación de la autoestima, en particular si tiene lugar entre compañeros. Para evitar que degenere en alarde y vanidad, la educación ha de advertir que el éxito no ha de enarbolarse como bandera.

En ocasiones hemos conocido algún niño o niña convencidos de ser muy malos. Quizá alguna vez los padres y hasta los maestros les han recordado que no son tan malos, sino más bien normales, como la mayoría de los niños. A pesar de todo, han respondido: «No es cierto, yo soy muy malo...»

Cuanto más natural, más equilibrada, más sana y más rica sea nuestra autoestima, más **gozo** experimentaremos de ser y de vivir en nuestra propia naturaleza biológica, psicológica y social. Será un placer relacionarnos con los demás. Esta es la gran tarea de la educación del niño en busca de su identidad personal.

Entre los agentes de mayor influencia sobre la autoestima de los niños están los **padres**. En sus manos tienen la responsabilidad y el poder de ir formando en sus hijos ese claro y equilibrado concepto de sí mismos, evitando que adquieran rasgos indeseables en su personalidad.

Los niñitos van desarrollando y afirmando su autoestima, en buena medida, a partir de las actitudes de los padres y adultos, de los cuales pueden nutrirse positivamente, por medio de un tipo de educación que les haga ser dignos de confianza y aprecio por sí mismos.

Los **amigos** y **compañeros** del centro escolar también colaboran en la formación de la autoestima de los demás niños. En efecto, los niños se comparan unos a otros continuamente en la realización de sus tareas.

Cuando un niño percibe que sus logros son inferiores a los de la mayoría, va formando un concepto pobre de sí mismo. Si esta idea de **incompetencia** se ve, además, reforzada por el docente, la familia o sus propios compañeros (que suelen ser directos en sus expresiones, y a veces crueles), el concepto de uno mismo sucumbe hasta niveles ínfimos, los cuales incapacitan al sujeto para llevar a cabo las tareas más simples.

Este efecto puede ser **contrarrestado** con éxito desde la familia. Los padres que desean un **autoconcepto sano** para sus hijos, han de amarlos, respetarlos, alentarlos y valorar lo que con trabajo y esfuerzo realizan. Esto los conducirá a tener fe y seguridad en sí mismos.

La autoestima y la vida social

Son muchos los aspectos de la existencia afectados por la autoestima, pero el efecto que esta tiene sobre la vida social de las personas es especialmente notable. Los niños que reciben una buena educación en su casa, en los centros preescolares y en la escuela, son buenos candidatos a tener un autoconcepto **realista** en relación con el ambiente social en el que viven.

El conocimiento que adquiere un niño de sus propias capacidades y posibilidades de éxito, tanto en casa como en la escuela, lo mismo que la conciencia de sus limitaciones en los juegos, en los deportes y en otros comportamientos comunes, le van proporcionando **conceptos objetivos** de sí mismo y de los demás niños.

Los niños que cuentan con esta ventaja comienzan a buscar sin dramatismos los **roles de ajuste social** más convenientes, mejorando no solo las relaciones interpersonales, sino mostrándose dispuestos a trabajar en grupos de apoyo mutuo, aportando su creatividad o su talento, y admitiendo que el ingenio y la capacidad de los demás pueden mejorar los suyos.

Si se orienta al niño en esta línea, el resultado será una buena educación de su carácter y a la vez una contribución muy positiva para aumentar su autoestima, acceder al bienestar personal y mejorar las relaciones sociales del grupo.

Los factores de la autoestima

Los psicólogos y pedagogos que estudian con atención la formación del autoconcepto en el niño no siempre están de acuerdo a la hora de identificar los principales factores que influyen en la formación de la autoestima. Según su ideología, unos se inclinan hacia los factores **biológicos**, mientras que otros enfatizan los factores de tipo **social**.

No obstante, la mayoría está de acuerdo en ciertos elementos que objetivamente influyen en la autoestima. A continuación tratamos de resumir y enfocar estos factores:

- **El grado de aspiración.** Dependiendo de las metas y los logros que el niño tenga establecidos, su conducta irá encaminada a la consecución de tales objetivos y su autoestima dependerá de dicha conducta. «El hombre se autorrealiza en la misma medida en que se compromete al cumplimiento del sentido de su vida» (Viktor E. Frankl).

- **La aprobación del mundo adulto.** Los comentarios de los padres y los maestros son de suma importancia a esta edad. Cualquier declaración, por incidental que sea, ejerce una fuerte influencia sobre el desarrollo y mantenimiento de la autoestima de los niños.

- **El grado de responsabilidad asignada.** Los niños a quienes se asigna tareas de importancia y responsabilidad, en casa y en la escuela, gozan de un mayor grado de autoestima. Se trata de una oportunidad para probarse a sí mismos y verificar que pueden realizar lo que se les pide, y que los mayores confían en ellos.

- **El efecto de los medios de comunicación.** Las conductas e imágenes positivas o negativas que se promueven en estos medios producen impactos sugestivos en los niños. Quizá los más sutiles sean los que invitan al niño a ser "el mejor".
Los actores, modelos e informadores tienen una influencia especial para formar el perfil del niño perfecto. Guapo, rubio, bien vestido, sentado al ordenador, con el último modelo de calzado deportivo y con unos cuantos juguetes electrónicos, casualmente depositados sobre una lujosa alfombra. En un contexto de decoración

juvenil exquisita y con una pasmosa fluidez verbal, se invita con naturalidad a los niños a la compra del artículo anunciado. No es extraño que el pequeño espectador se diga a sí mismo: «Yo nunca llegaré a ser como él...»

- **El estilo de vida.** El cuidado físico, la recreación, la vestimenta, la alimentación vigorizante, así como los recursos deportivos y atléticos, facilitan el bienestar general y estimulan un desarrollo general satisfactorio. Además, esto favorece el aprecio sano por uno mismo.

- **La escala de valores.** Afecta al concepto de uno mismo en la medida en que el niño compara el valor que –tal como él lo percibe– poseen las distintas esferas y facetas de su vida, con su propio nivel de rendimiento y de encaje en tales esferas, lo cual repercute en su autoestima.
Por ejemplo, si percibe que es más importante rendir en los estudios que en los juegos, no se sentirá muy a gusto consigo mismo aunque gane muchas partidas de parchís. Más decisiva que su propia opinión, en el caso de los niños, es la escala de valores de las personas que lo rodean, particularmente los adultos.

Resumiendo, podemos decir que si bien la autoestima es el resultado de un **proceso interior** y propio de cada individuo, la **influencia** de los padres, maestros, adultos y del medio social en que el niño crece no son menos importantes. Esta influencia puede dar como resultado una autoestima equilibrada, sana, correcta, que le facilitará su desarrollo social, laboral, afectivo, intelectual y moral. La carencia de este apoyo propiciará una autoestima perturbada, trabada o menoscabada.

Los resultados de la autoestima

El desarrollo de la autoestima en el ser humano es un proceso lento y complicado. Difiere mucho en cada individuo, por su tipología, por su estado de salud física y men-

La autoestima infantil se construye por medio de la valoración de la autoimagen –o "retrato" que el niño tiene de sí mismo–, compuesta a su vez de diferentes retazos: recuerdos significativos, influencia del entorno, percepción del propio cuerpo, aspiraciones y grado de satisfacción... Son, pues, diversos y delicados los elementos que pueden generar una personalidad equilibrada o, en el peor de los casos, problemática.

tal, por el ambiente social y hogareño, y por la educación que ha recibido desde la temprana infancia.

Los padres han de saber que **no todos los hijos son iguales** y que, aun cuando tengan modales similares y apariencias físicas semejantes, difieren en pensamiento así como en sentimientos.

El desarrollo y los efectos de la autoestima resulta así diferente en cada niño; unos son más optimistas, más decididos, más constantes. Otros, más reflexivos y más sensibles. Los hay que son más impacientes y se desaniman con facilidad.

Todo ello se ha ido combinando e incorporando en su carácter, pero tiene **efectos imponderables** en la conducta, en la mentalidad, en los sentimientos y en el desempeño posterior, lo que afecta a sus vidas cotidianas. Porque los triunfos, las derrotas y la existencia plena de felicidad o de incidentes dramáticos, son en gran parte la consecuencia de nuestro íntimo autoconcepto.

La autoestima sería entonces el **código mágico de la comprensión de nuestra propia realidad,** particularmente de cara a los demás y al entorno que nos toca vivir. Por ende, es la clave de nuestro futuro triun-

Lo que valora la gente

Al mirar a un bebé de 5 meses resulta natural pensar e incluso exclamar: «¡Qué bonito es! ¡Es riquísimo! ¡Da gusto verlo!» Nos admiramos de la **belleza física** de una criatura tan fascinante.

Más adelante, cuando los niños ya han crecido y van al instituto o la universidad, nos enorgullecemos de los **logros académicos**, porque valoramos el intelecto, la capacidad mental.

Por último, si alguien consigue allegar una **fortuna** o la hereda de la familia, obtiene el respeto y la admiración de muchos.

Así de simples son los **valores** que la gente estima:

- belleza,
- inteligencia,
- dinero.

Sin embargo, existen atributos, características, rasgos o actitudes, que son dignos de alabanza y que pueden fortalecer la autoestima de niños y adultos:

- amabilidad y cortesía,
- buen humor,
- paciencia y tolerancia,
- talento musical,
- fuerza de voluntad,
- hospitalidad,
- habilidad manual,
- sensibilidad espiritual.

Añada usted mismo otros valores apreciables que merecen consideración para edificar la autoestima de sus hijos:

-
-
-

fal o decepcionante, porque el modo en que nos sentimos o nos percibimos a nosotros mismos afecta en forma directa a todo nuestro actuar y condiciona la estructura de nuestra experiencia.

Podemos afirmar de modo concluyente que la **autonomía armónica y madura** respecto a nuestro entorno social, es la base de una vida dinámica, servicial, generosa y plena de gozo, que nos imparte auténtica felicidad.

En cambio, los **sentimientos de inferioridad**, como todos los sentimientos de incapacidad, de incompetencia y de temor frente a la acción, son los resultados de una autoestima pobre. Los padres y los maestros deben mantenerse **alerta** frente a cualquier indicio que muestren sus hijos al respecto. De esta manera podrán influir en el desarrollo de este aspecto tan importante. (En el apartado siguiente ofrecemos algunas pautas que pueden seguirse en el apoyo a una buena autoestima.)

La labor pedagógica y la observación psicológica de niños con desorientación en sus conductas sociales, titubeos afectivos o intelectuales, han demostrado que tales actitudes se deben a una **autoestima deficiente**. Esta condición los hace ser desacertados o ineptos no solo para una actividad determinada, sino para el cumplimiento general de los deberes rutinarios.

Los citados sentimientos y complejos de inferioridad se arraigan temprano en la vida de los niños cuando intuyen que se los margina, se los desprecia o no se los tiene en cuenta para muchas actividades.

Esta inferioridad así percibida pronto se revela en la conversación:

A Marcos lo llevaron al médico porque no tenía apetito. Cuando el médico le preguntó por qué no comía, respondió: «Me siento triste y no tengo ganas de nada, mis vecinos me dejan sin jugar, y a veces me pegan porque soy el más pequeño.»

Esas experiencias negativas calan muy hondo en la vida de los niños, especialmente en los más sensibles. Esta manera de sentir a la larga mina o destruye el autoconcepto y provoca paulatinamente en el niño una **marca de desprestigio o de inutilidad**. A raíz de esto se forma en su conciencia un sentimiento de ineptitud o de escaso valor personal, lo cual los encierra en su propia autoestima destructiva.

La tarea de los padres

Los especialistas y estudiosos del comportamiento infantil y adolescente consideran que las percepciones y sentimientos asociados al autoconcepto empiezan **muy temprano** en la niñez.

A los 3 años –o incluso antes, según muchos especialistas– los niños comienzan a tener conciencia del aprecio de sí mismos. Al principio esta percepción es global y sintética, pero hacia los 8 años, aproximadamente, se torna más crítica.

El **tono afectivo de los padres** en un ambiente cordial, acogedor y seguro constituye *el mejor alimento* para nutrir la autoestima. Cuando faltan estos contactos de aprecio y valoración, los niños se sienten extraños, disminuidos y comienzan a manifestar síntomas de complejos o sentimientos de inferioridad.

En el cuadro-sección *"El Papel de los Padres"* de la página siguiente, proponemos una serie de **pautas** para que los padres no caigan en algunos errores típicos que afectan estrechamente al desarrollo de la autoestima.

continúa en la página 161

El ámbito escolar es un medio decisivo para la autoestima infantil. En su seno niñas y niños, inevitablemente, se miden entre sí, y sus realizaciones son objeto de todo tipo de comparaciones externas y autocomparaciones, relativas tanto a detalles intelectuales como físicos y psicológicos.

Cómo favorecer la autoestima de los hijos

Sería muy útil que fueran más comunes las "escuelas de padres", en las que se impartieran los conocimientos básicos relativos a la educación de los hijos, pero el hecho es que los padres suelen aprender sobre la marcha. En nuestro deseo de facilitar el camino a padres y educadores, ofrecemos las siguientes sugerencias:

1. **Evitar comparaciones desfavorables entre hermanos, parientes o amigos.** Frases como "María, a tu edad, era más estudiosa y obediente que tú", repetidas con frecuencia y en diversos contextos, entorpecen el desarrollo adecuado del concepto de uno mismo.

2. **No hacer bromas con los defectos físicos, la apariencia o el origen étnico.** Los mayores han de velar para que los niños no se dirijan este tipo de bromas entre sí.

3. **No imputar al niño escasa capacidad** cuando olvida una cosa. Las **expectativas** que los padres tienen de sus hijos han de ajustarse a lo que sería de esperar en niños de la edad y el grado de madurez correspondiente. Sería impropio, por ejemplo, enfadarse con un niño de 7 años porque se olvida de realizar el encargo que su padre le ha pedido.

4. **No confundir la lentitud con la incapacidad.** Hay niños que tardan más de lo normal en llevar a cabo sus tareas (vestirse, comer, hacer los deberes, etc.), pero ello no se debe a su cortedad intelectual.

5. **Evitar el castigo automático** porque no le gusta la escuela o porque tiene miedo a la maestra. Si bien es cierto que a veces los niños se quejan sin razón, nunca hemos de menospreciar un mensaje infantil.

6. **Observar con atención cualquier defecto** en el lenguaje, la escritura o la lectura para tomar las medidas oportunas. Estos problemas pueden responder a dificultades específicas en esas áreas, y una detección oportuna suele permitir corregirlos.

7. **Evitar el castigo que consiste en privar al niño del cariño o el afecto.** A veces los padres se forman una actitud negativa hacia sus hijos porque estos no responden con exactitud a sus expectativas. A raíz de ello, los tratan fría o duramente, arruinando así su autoestima.

8. **No dejar al niño solo mucho tiempo.** La autoestima se nutre por medio de la relación sana con otros niños de su edad. Además, es necesaria la compañía y la interacción de sus padres en juegos, paseos y recreación.

9. **No repetirle constantemente mensajes negativos:** "Eres un niño malo, llorón, rebelde, descarado...", en vez de corregirlo adecuadamente.

10. **No asustarlo con fantasmas, diablos, brujas o monstruos** para que se quede quieto o se duerma, y no moleste. Esto añade inseguridad y temor, emociones que crecen parejas con la falta de autoestima.

11. **Evitar la formación de sentimientos de culpa**, repitiendo que todo sucede por su mala conducta. La mente infantil ve relaciones de causa-efecto entre hechos independientes. Es fácil para ellos creer que su mal comportamiento puede llegar a provocar directamente una catástrofe familiar.

12. **No privarlo de experiencias divertidas**, o de pequeñas fiestas y regalitos. Estas cosas, en su justa medida, son elementos importantes en el desarrollo emocional infantil.

Los resultados de una autoestima sana

Aunque no se trata de la panacea, la buena autoestima es la base de un correcto ajuste emocional y del éxito en muchos aspectos de la vida. Estos son algunos de sus efectos más importantes:

1. Buenas intenciones. Los niños con un buen nivel de autoestima tienden a desplegar una conducta sana y sin mala intención. En sus juegos y entretenimientos no buscan el mal de los demás, sino la sana recreación.

2. Seguridad y optimismo. La justa autoestima proporciona un buen nivel de seguridad en sus propias capacidades y un optimismo general ante los desafíos.

3. Bienestar emocional. Un autoconcepto equilibrado es una garantía de buenos sentimientos, pues lleva a considerarse más digno, y por lo tanto más resuelto y feliz.

4. Capacidad general. Con una autoestima enriquecida, el niño se siente más hábil, más creativo, más propenso a tener éxito en lo que hace.

5. Mejores relaciones. Con una buena autoestima mejoran las relaciones sociales y los niños entablan amistades espontánea y naturalmente.

6. Intrepidez. El niño que ha desarrollado un correcto concepto de sí mismo, no se sentirá temeroso del mundo y sus desafíos; más bien los considerará retos a los que hacer frente.

7. Mayor logro en los estudios. Los sentimientos de adecuación son esenciales a la hora de afrontar con éxito las tareas escolares, tan importantes en la edad infantil.

8. Mejor espiritualidad. Una autoestima correcta favorece un crecimiento estable de la vida espiritual. «Trátese de que el niño conserve el respeto propio y de inspirarle valor y esperanza. [...] Requiere tacto y sensibilidad delicadísimos, conocimiento de la naturaleza humana, fe y paciencia divinas, dispuestas a obrar, velar y esperar. Nada puede ser más importante que esa obra» (Ellen G. White, 'La educación', pág. 283).

Pirámide de Maslow

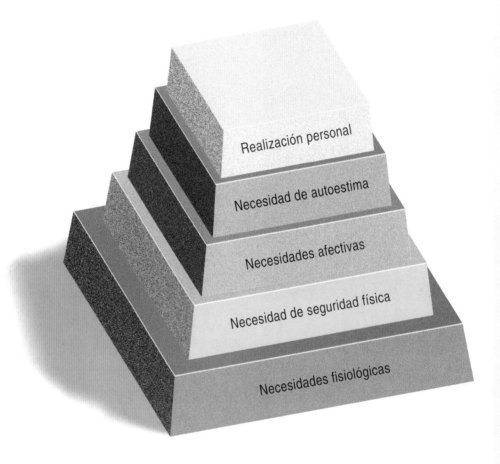

La pirámide de Maslow representa primeramente el orden en el que van apareciendo las necesidades en el niño.

En segundo lugar muestra que el desarrollo sucesivo de las necesidades implica un cambio de intereses, cada vez más maduros.

Por último nos señala que la aparición de nuevas necesidades no implica la desaparición de las anteriores, sino que se basa en ellas.

En esta pirámide, tal como puede observarse, la autoestima aparece como una de las necesidades del niño, sin la cual no le será posible acceder al estadio superior para alcanzar su plenitud personal.

Además del deseable contacto con los niños y niñas de su edad, la presencia y el apoyo de los padres junto a sus hijos en edad escolar, favorece la formación de una sólida autoestima en su camino a la vida adulta. Saberse querida de manera incondicional –como parece ser el caso de la niña de la imagen– es la primera fuente de un autoconcepto equilibrado y seguro.

viene de la página 157

Cuando los padres no tienen en cuenta este tipo de pautas van destruyendo la autoestima y formando en la intimidad infantil residuos de dolor, incapacidad, temor y escaso valor. El resultado suele traer consigo adolescentes apáticos, rebeldes, disconformes, renegados, tímidos o agresivos, no solo con la sociedad sino consigo mismos.

Los padres, por tanto, han de asegurarse que los niños sean **conscientes** de sus valores y aptitudes. También deben hablarles de este sentimiento de autoestima, y de cuán influyente resulta en el desarrollo de la personalidad, no solo de ellos mismos sino también de sus compañeros y amigos. La buena comprensión de este tema los hará más **reflexivos** cuando se les presente la oportunidad de reírse de otro niño a costa de alguna incapacidad.

Antes de llegar a la **adolescencia**, los niños y las niñas han de estar bien informados de todos los **cambios** que ocurrirán en su organismo y en su psicología durante los próximos años. Necesitan saber que durante la adolescencia la mayoría de los chicos y chicas experimentan muchos momentos en los que no se gustan a sí mismos en general, especialmente en el **aspecto físico**.

continúa en la página 163

Mefi Boset, el perro muerto

Nos cuenta el relato bíblico que el primer rey de Israel, **Saúl**, a pesar de ser el hombre más atractivo del pueblo israelita, de gozar de una inmensa capacidad mental y de una gran fortuna personal, desoyó los consejos divinos y en medio de su reinado, Dios tuvo que escoger otro rey: **David**.

Lleno de odio y envidia, Saúl intentó quitar la vida a David en numerosas ocasiones. Y lo habría conseguido de no haber sido por la directa intervención divina, fruto de las plegarias del futuro rey David.

Cuando Saúl murió trágicamente, David llegó a ser el rey más querido de todos los monarcas de Israel.

En el contexto cultural de la época, se esperaba que David aplicase un castigo severo a los descendientes de aquel que había atentado injustamente contra su vida en oposición a la voluntad de Dios.

Tan solo quedaba un descendiente directo de Saúl en quien descargar toda la venganza. Las guerras con los filisteos y las disputas internas se habían encargado de dar muerte al resto. Era el nieto de Saúl, un tal Mefi Boset, cojo de ambas piernas por un accidente que había sufrido a la edad de cinco años.

El rey llamó a Mefi Boset. Este salió de su escondrijo asustado y temeroso de perder la vida para inclinarse ante el rey y decir:

«¿Por qué se fija su majestad en este siervo suyo si **soy como un perro muerto?**»

En lugar de aniquilarlo, David entregó a Mefi Boset todas las tierras que pertenecieron a Saúl, su abuelo, y puso hombres para que las trabajasen al servicio de Mefi Boset, concediéndole otros honores.

Podemos imaginarnos el sentir de este joven al pasar de minusválido y "perro muerto", descendiente de una dinastía castigada, a copartícipe de la vida cortesana con todos los derechos. Por eso en los años siguientes lo vemos establecer su residencia en Jerusalén y participar diariamente de la mesa del rey. Su autoestima hundida se había restablecido definitivamente por el **reconocimiento** de otra persona.

El creyente puede llegar a una experiencia parecida en su relación con Dios al experimentar las oportunidades de progreso espiritual, de felicidad y de salvación que se ofrecen al ser humano. Nunca nadie, por alejado que esté de su Creador, será considerado como un ser inferior a los ojos de **Dios**. Y esta es una **fuente importante de autoestima**.

(El relato mencionado se encuentra en la Biblia: 2° Libro de Samuel, capítulo 9.)

La autoestima es fruto de un proceso interior de asimilación de imágenes. Pese a ello, presenta síntomas de uno u otro tipo (introversión, desinhibición, bienestar emocional aparente...) que, atentamente observados, la hacen susceptible de modificación en un sentido positivo. El papel de los padres es aquí, una vez más, esencial.

viene de la página 161

Han de saber también que esa etapa es pasajera, y que luego es posible retornar a un autoconcepto normal.

Los padres, además, han de ser **francos** y abiertos con sus hijos acerca de sus propios sentimientos de autoestima. Uno de las obstáculos para superar este problema es la creencia de que uno se ve inferior cada vez que se compara con aquellos que aparentan sentirse seguros y dueños de las situaciones. Y esto es una **falacia**. Hasta las personas más encumbradas se consideran a veces incapaces, torpes e inferiores.

La confesión paterna de las propias inseguridades no disminuirá en absoluto el respeto que los hijos tienen por los padres. Por el contrario, la relación ganará en profundidad y los más jóvenes se comprenderán mejor a sí mismos, a la vez que se sobrepondrán a los pensamientos negativos sobre su persona.

Por último, una característica muy importante de la autoestima es que resulta **susceptible de ser modificada** por personas externas al sujeto. La aprobación o la crítica de alguien a quien el niño aprecia, le hará variar en cuanto al concepto que tiene de sí mismo. El patito feo de la literatura infantil era un pato desdichado. Sin embargo, llegó a ser un magnífico cisne. El animal no sufrió ninguna transformación anatómica, ni se sometió a una cirugía plástica. El simple encuentro con su auténtica familia le hizo contemplarse a sí mismo de una manera diferente. Como resultado, comenzó a sentirse hermoso.

Conclusión

El poder que un adulto que inspira autoridad moral en el niño tiene sobre el desarrollo de su autoestima, es incalculable. De ahí que los padres, los maestros y los adultos que tienen ascendiente sobre los niños, hayan de ser cuidadosos en su influencia.

Siendo que el niño no es ajeno al impacto de la cultura en la que vive, sus mayores deben estar atentos para guiarlos con **sabiduría** en la formación de una positiva autoestima, correcta y generosa, pero no exagerada ni individualista.

Finalmente, hemos de recordar que los **extremos peligrosos** para el desarrollo del autoconcepto infantil son tanto el abandono (despreocupación, permisividad, ausencia de disciplina y complacencia con todos los gustos y caprichos del niño), como la rigidez excesiva y la sobreprotección.

"Le resulta imposible no morderse las uñas"

A mi hija, que está a punto de cumplir los 10 años, le resulta imposible no morderse las uñas. Ella es consciente de que este hábito es antihigiénico y antiestético, pero los dedos se le van a los dientes sobre todo cuando se avecina algún momento de tensión como un examen, o un viaje. ¿Por qué le ocurre esto a mi hija y cómo puede corregirse?

El problema de su hija se denomina técnicamente **onicofagia** y es muy común. Se estima que uno de cada tres niños o adolescentes se ven afectados por este hábito en algún momento de sus años de crecimiento.

Como en otros problemas de índole emocional en la niñez, la onicofagia suele tener su origen en **hechos externos** (ansiedad ante un examen, por ejemplo), unidos a una **personalidad algo sensible**, nerviosa o insegura en los niños. Intente buscar la raíz del problema, que podría estar relacionado con una autoestima baja.

Si tiene que ver con la escuela, hable con su maestro y, desde casa, procuren facilitar el mejor ambiente. Si existe otra fuente de inseguridad, traten de trabajar desde ahí para atacar el origen del problema. Este es el paso inevitable para alcanzar cualquier solución definitiva.

Cuando el origen ha sido ya abordado, el hábito puede continuar. Entonces es el momento de echar mano de algunas estrategias directas:

- Ayude a su hija a **mantenerse ocupada** no solo en las tareas escolares, sino también en actividades deportivas o de trabajo útil en la casa.

- Aunque exija esfuerzo por su parte, favorezca que su hija rompa con la rutina. Eso la distraerá y alejará en gran parte del hábito.

- Establezca acuerdos y utilice **recompensas** si se cumplen; por ejemplo: «Ya que estás dispuesta a intentar no morderte las uñas durante una semana entera, si lo logras te compraré los patines (o cualquier otra cosa o actividad deseable). Como recordatorio disuasivo, pueden utilizarse productos de un sabor peculiar que, aplicados en las uñas, hacen que el niño se dé cuenta de su propósito cuando se lleve las uñas a la boca.

¿Tiene su hijo
una autoestima equilibrada?

La autoestima se evalúa a través de una serie de componentes propios que los niños (y también los adultos) valoran en sí mismos. Para Susan Harter, investigadora de vanguardia en el campo de la autoestima infantil, los componentes fundamentales son: la **capacidad intelectual,** el **atractivo físico,** la **destreza en el juego y el deporte,** la **relación con los demás niños** y la **conducta general.**

Formule estas preguntas a su hijo o hija para obtener una estimación del nivel de su autoestima:

	Casi nunca				Casi siempre
1. ¿Tienes buenas notas en la escuela?	①	②	③	④	⑤
2. ¿Eres de los primeros en terminar las tareas en clase?	①	②	③	④	⑤
3. ¿Te consideras guapo o guapa?	①	②	③	④	⑤
4. ¿Mantienes el peso normal para tu edad y tu estatura?	①	②	③	④	⑤
5. ¿Eres aventajado/a en los deportes?	①	②	③	④	⑤
6. ¿Disfrutas de los juegos al aire libre?	①	②	③	④	⑤
7. ¿Te llevas bien con tus amigos/amigas?	①	②	③	④	⑤
8. ¿Haces nuevos/as amigos/as con facilidad?	①	②	③	④	⑤
9. ¿Eres normalmente obediente en la escuela?	①	②	③	④	⑤
10. ¿Eres generalmente obediente en casa?	①	②	③	④	⑤

Baremo

10-20 Autoestima muy pobre. Necesita alentar a su hijo/a en cuanto a sus capacidades, atractivo, relaciones, etcétera. Intente firmemente demostrarle que todos tenemos rasgos de inapreciable valor.

21-25 Autoestima aceptable pero con necesidad de mejora. Es posible que su hijo/a esté atravesando una mala etapa debida a problemas escolares o familiares. Tiene la posibilidad de aumentar y mantener una autoestima adecuada, pero necesita un pequeño empuje.

26-40 Autoestima buena. Su hijo/a cuenta con el nivel apropiado de autoestima. Es consciente de sus capacidades y de sus limitaciones en la mayoría de los aspectos.

41-50 Autoestima muy buena. Su hijo/a es equilibrado/a y seguro/a de sí mismo/a en un alto grado. Esta sensación de seguridad hace que sea capaz de afrontar los obstáculos en la escuela, en la familia y con los amigos. Con una autoestima elevada, el éxito es mucho más probable. Simplemente vigile para que no se convierta en vanidad.

9

La familia
y los valores

RICARDO y Teresa tienen 6 y 8 años, respectivamente. Acaban de llegar de una visita a sus primos mayores. Se han divertido mucho y vienen cansados. El niño saca unos cuantos sellos (estampillas postales) nuevos del bolsillo y se los enseña a su mamá.

—¡Qué bonitos son esos sellos! ¿Quién te los ha dado?

—Nadie. Estaban en un cajón en casa de los tíos... Tere y yo hemos visto que había muchos y nos hemos traído estos.

La expresión de la madre muestra que no está satisfecha con lo que su hijo ha hecho. Ni el pequeño ni la niña estaban muy seguros de su acción, pero ahora es cuando realmente ambos empiezan a darse cuenta de que algo anda mal. Teresa explica:

—Pues sí... Ricardito se los guardó en el bolsillo. Pero, ¿sabes, mamá?... Es que estaban repetidos. Había cuatro iguales de cada, y él solamente tomó uno... Los otros se los dejamos allí.

Eso precisamente exponemos, no con el lenguaje que enseña el saber humano, sino con el que enseña el Espíritu, explicando temas espirituales a hombres de espíritu.

SAN PABLO
Carta a los Corintios I, 13
Nueva Biblia española

–¡Es verdad! –continúa Ricardo– Además nadie me vio. Ni los tíos, ni los primos.

La edad de estos niños ya no es la aconsejable para fruncir el ceño, diciéndoles: «Eso no se hace», mientras se les arrebata lo que han sustraído. Más bien, tienen edad para escuchar las razones por las que ciertas cosas no se deben hacer. La madre, al descubrir el hecho, dispone de la ocasión ideal para reafirmar el carácter inmoral del hurto. Y es que la madre le da mucha importancia a esto. La honradez es uno de los valores que más aprecia. Por eso querría aprovechar el momento para enseñar a sus hijos una lección importante.

Los niños, especialmente Ricardo, con su mentalidad infantil y su conciencia en proceso de desarrollo, no tienen una idea clara de lo que implica haberse llevado esos sellos, y la madre es ahora responsable de la modelación de la conciencia de su hijo.

Ante un suceso de esta índole se puede actuar de diversas maneras. Una de las posibles sería explicar a los pequeños por qué su actuación no resulta aceptable. Veamos algunas de las **lecciones** que se les puede enseñar:

1. «Que alguien tenga mucho –por ejemplo, cuatro estampillas o sellos repetidos– **no** te da **derecho a quitarle** una parte.»

2. «¿**Te gustaría** que te robasen algo a ti?»

3. «¿**Cómo crees que se sentirá** tu primo cuando vaya a colocar sus sellos y vea los bloques de cuatro mutilados?»

4. «Siempre tienes ocasión de **conseguir tus propósitos adecuadamente**: pedir esos sellos o, al menos, preguntar cómo conseguirlos.»

5. Finalmente, lo hurtado ha de ser **restituido**; así pues, devolver los sellos y pedir perdón sería lo apropiado.

Todas las familias, incluso las de condición económica y cultural más humilde, en cualquier rincón de la tierra, poseen un fundamento educativo, acertado o no, que se basa en ciertos principios o valores, tradiciones, costumbres, creencias e ideales.

Estos elementos fundamentales determinan una manera de vivir, un **estilo de vida,** que genera, de modo más o menos consciente, sistemático o intuitivo, una **filosofía vital.** Esta filosofía es la que orienta y sustenta la estructura familiar, la ética o moral, las relaciones afectivas, los comportamientos sociales, la economía, el consumo, el tipo y el lugar de la vivienda, así como el modo de educar a los hijos.

Los padres firme y realmente convencidos de sus fundamentos éticos, sienten sinceros deseos de **transmitirlos** a sus hijos. Precisamente este capítulo pretende abordar el asunto de los valores y principios, ofreciendo a los padres la información necesaria para llevar a cabo esa enseñanza de los ideales que ellos aprecian.

Con tal propósito, en las páginas que siguen se describe cómo se adquieren los principios y valores, y cuáles son los resultados. También analizamos el papel que desempeña la familia en esta transmisión de valores, y cómo padres y educadores pueden beneficiarse de la ayuda de la psicología y la pedagogía. Finalmente, tomaremos en cuenta los valores superiores y de modo especial la formación espiritual y ética en el seno de la familia, sobre todo en la edad preescolar y en la escolar.

La adquisición de principios y valores

Cuando un pequeño de 4 años aprende una palabrota e insulta a su hermana, la madre o el padre, al escucharlo, tratan de reprimirlo de inmediato: «¡Esas cosas no se dicen!» «¡No vuelvas a decir eso, es una palabra feísima!»

Si los niños utilizan la violencia, dicen mentiras, o hurtan o deterioran intencionadamente algún objeto, lo normal es que sean reprendidos por sus padres u otros adultos de su entorno.

Así, de modo informal, se van transmitiendo principios y valores que se van integrando en la naturaleza y la conciencia individuales.

En cada cultura, la familia es un agente primordial en la transmisión de valores, costumbres y tradiciones, con independencia de la condición económica y otros factores asociados, y sin que ello prejuzgue el grado de acierto de los fundamentos educativos que se transmiten.

El **origen** de estos valores es **múltiple**. Provienen, entre otras fuentes, de las tradiciones y costumbres culturales, de las normas sociales, de las creencias, de los medios de comunicación, de las relaciones con otros individuos y de los rasgos propios de la personalidad.

Los padres intentan transmitir estos valores empleando diversos procedimientos pedagógicos y psicológicos, que buscan obtener resultados positivos en la conducta de sus hijos.

El gran dilema de muchos padres es **cómo** transmitir con éxito a sus hijos el contenido de esos valores que aprecian. Algunos lo consiguen y, a raíz de ello, se sienten reconfortados al comprobar que sus hijos actúan con criterios éticos, sociales, laborales y espirituales coherentes con el ideario familiar. Otros, por el contrario, se desilusionan porque todos los métodos que han empleado para educar a sus hijos en los valores más deseables para la familia, no han dado los resultados esperados.

Pero, como ya se ha apuntado, la transmisión de estos valores no es exclusiva de la familia. En efecto, con frecuencia los niños se hallan inmersos en un **ambiente social, cultural y moral** contrario a los nobles principios de la familia. Muchas veces son observadores, protagonistas y hasta víctimas de la violencia, la corrupción y la ambición egoísta.

A veces, los padres que se sienten confundidos o dolidos con sus hijos, llegan a **extremos peligrosos** en la disciplina y en la aplicación de imposiciones y castigos. Otras veces se rinden y se desilusionan por los resultados de sus hijos, así que los dejan marchar a la deriva.

Hemos de recordar que los niños son **especialmente vulnerables** a la influencia del mundo adulto. El impacto de los mayores –no solamente los padres y educadores)– y de su ejemplo, es muy difícil de contrarrestar. Es harto frecuente presenciar una conversación entre padre e hijo como la que sigue:

–Carlos, me gustaría verte más aseado y más presentable.

–Pero, papá, Fulano de Tal (una estrella del fútbol), con todo lo millonario que es, sale en la tele despeinado, con una simple camiseta, vaqueros y zapatillas deportivas.

La transmisión de valores e ideales de una generación a otra es un hecho difícil de estudiar. Las **múltiples variables** que confluyen en este proceso, enturbian el análisis. A pesar de todo –en parte gracias a esfuerzos sistemáticos de investigación pero, más aún, sobre la base de la intuición y la experiencia– podemos establecer algunos principios generales aplicables a este proceso.

1. **Los valores no se asimilan por la fuerza.** La veracidad, el altruismo y el respeto son valores que la mayoría de los padres desean ver reflejados en sus hijos, a través de la **debida formación**. En razón de ello, algunos padres consideran que, por ser tales principios imprescindibles, y en vista de que los niños no son siempre tan dóciles como ellos quisieran, deben forzar la voluntad de sus hijos e incluso imponerles una severa disciplina para que observen y practiquen esos principios y valores.

Esto lo hacen con la pretensión de contrarrestar la influencia exterior que es producto de la **crisis de valores** imperante en la sociedad actual, sobre todo en las grandes ciudades. Pero tales métodos no resultan aceptables. De lo que se trata es de que el niño pueda apreciar, valorar y practicar desde pequeño una correcta disciplina, exigente pero cariñosa.

El **objetivo realmente digno** de la educación es el desarrollo de principios y valores sociales, afectivos, intelectuales, éticos y espirituales, que hagan al niño **feliz** y lo doten de una personalidad fuerte y equilibrada frente a cualquier tipo de influencia corruptora.

2. **Los valores tienen un componente personal y subjetivo.** Está claro que, aunque haya acuerdo en algunos principios fundamentales, los valores tienden a **variar** de persona a persona. Cuando se trata de buscar el bien y la felicidad, las familias se rigen por diferentes criterios prácticos.

Así encontramos, por ejemplo, padres que deciden gastar el dinero destinado a sus hijos en juguetes y videojuegos, y otros que lo invierten en libros y clases de idiomas.

3. **Los valores vienen parcialmente determinados por las necesidades.** A pesar del compromiso personal respecto a los ideales, hemos de reconocer que las circunstancias específicas crean necesidades que influyen en el orden que las personas establecen en su escala de valores.

Para un padre o una madre que siente la necesidad de dar de comer a sus hijos, la oportunidad de un trabajo es un asunto de valor prioritario; en cambio, quienes viven en medio de la abundancia, le asigna un mayor valor a la oportunidad de irse con ellos de vacaciones. Así pues, la **necesidad**, el **ambiente** y la **experiencia** le otorgan más o menos importancia a un valor que a otro.

4. **Los valores guardan relación con la conducta.** El gran desafío de los padres ante la formación de sus hijos consiste en ir descubriendo junto a ellos las cualidades y los comportamientos coherentes con estos valores, con el propósito de dar a sus hijos, no solo conocimientos teóricos o relativos, sino una mayor sensibilidad y suficientes aptitudes para la vida práctica. Este es el modo de propiciar el desarrollo de una personalidad equilibrada, completa y armónica, dotada de madurez y de la necesaria capacidad para enfrentar serenamente los continuos desafíos que nuestra sociedad presenta.

Algunos pedagogos insisten en que el debido desarrollo de los valores desde la más tierna edad, deja una "impronta" imborrable en el carácter y se refleja en cada acción, adquisición o reflexión personal, impregnando todos los intereses del pequeño, así como su desarrollo intelectual, moral y espiritual. Si esto se favorece en el hogar y en la escuela, el niño gozará de un bienestar básico, y su influencia ética y social será benéfica.

5. **La educación en valores es difícil y constituye un proyecto a largo plazo.** Los resultados de los esfuerzos de los padres para inculcar los principios anhelados en sus hijos, no suelen verse de in-

El sistema educativo y los valores

Hoy la pedagogía se encuentra ante la difícil misión de elaborar un proyecto educativo que sea capaz de combinar las exigencias tecnológicas, científicas y económicas en pos del rendimiento productivo y eficaz.

Sin embargo, ¿dónde quedan las **virtudes sociales, éticas y espirituales**? Únicamente con ellas estará el niño capacitado para responder a la sociedad competitiva y a la vez vencer las continuas crisis sin sentirse turbado y sin perder la esperanza en un porvenir más justo, más igualitario y más dichoso.

El sistema educativo de la mayoría de los países occidentales hoy en día otorga –al menos en teoría– una **gran importancia** a la **enseñanza y aprendizaje de valores**. Por ejemplo, las autoridades educativas españolas establecen oficialmente lo siguiente:

- «Los valores son **proyectos ideales** de comportamientos y de existir, que el ser humano aprecia, desea y busca.»
- «Los valores son **opciones personales** que se adquieren desde las posibilidades **activas de la voluntad.**»
- «Los valores son **creencias** que se integran en la estructura del conocimiento.»
- «Los valores son **características de la acción humana** que mueven la conducta, orientan la vida, marcan la personalidad.»

Muchos de los propósitos y proyectos educativos en la sociedad actual redescubren la importancia de la educación en valores, así como la necesidad de introducirla en los programas escolares. Y es que **el hombre sabio debe ser bueno para ser útil.**

mediato. Es una tarea que exige esfuerzo y los frutos pueden no llegar a verse.

La dificultad de este proceso reside en gran parte en la necesidad de utilizar la coherencia, ya que los padres son el *modelo* de referencia constante. A la vez, han de estar atentos para filtrar o rechazar influencias de distintos ámbitos y sectores, que puedan afectar negativamente a su proyecto educativo y de compromiso familiar.

En la educación infantil en valores no todo es fácil. Muchas veces se producen fallos, contrariedades, escollos y fisuras, pero es obra de los padres hacer comprender pacientemente a los hijos en qué consiste el desarrollo de un carácter firme.

Precisamente este carácter les proporcionará la **resistencia moral** precisa para no dejarse doblegar fácilmente por las manipulaciones tentadoras de cierta publicidad o de alguna ideología oportunista, con sus seducciones y ofertas de placer egocéntrico.

Los resultados

Cuando los padres educan a sus niños, en la confianza de disponer de una **escala de valores *completa y armónica***, los resultados se apreciarán aunque sea a largo plazo.

La enseñanza parte de los valores básicos: biológicos, psicológicos, materiales; si-

Los niños y las niñas de nuestro tiempo están llamados a integrarse en un mundo cada vez más tecnificado, y regido por criterios prácticos y rentables. Sin olvidar la preparación de sus hijos para esta realidad, dotándolos de la formación y los medios necesarios, los padres y educadores tienen ante sí el desafío de inculcarles otro tipo de valores (morales y espirituales) que contribuyan a humanizar su existencia y la de quienes los rodean. Así fomentarán una sociedad regida por cánones menos competitivos y más altruistas.

gue por los de tipo intelectual, económico, social y, sin detenerse, ha de llegar a los valores éticos y espirituales. Estos son, en esencia, la **guía orientadora** de cada individuo, en sus mejores ideales de perfeccionamiento, satisfacción y autorrealización.

El niñito así educado se desarrolla consolidando valores, principios y actitudes que lo harán más seguro, más sereno y más conforme consigo mismo. A la vez crecerá como una persona que actúa y se proyecta a través de una senda de **fraternidad, solidaridad** y **respeto** hacia sus semejantes, prodigando el bienestar social y ético producto de una fe providente y de un amor altruista.

De manera muy particular, no será indiferente a las injusticias ni a la explotación, sino que se inclinará a actuar como defensor de aquellas personas discriminadas por los prejuicios o afectadas por las enfermedades, la pobreza, la ignorancia o los vicios.

Hoy la **pedagogía** se encuentra ante la difícil misión de elaborar un proyecto educativo capaz de encarar las exigencias tecnológicas, científicas y económicas de una sociedad "sin ojos ni conciencia", que requiere "el rendimiento productivo y eficaz". Tiene ante sí el desafío de preparar al niño para vivir en un mundo demasiado práctico y concreto, sin ignorar las virtudes sociales,

Necesidad de educar en valores

Enseñar, educar y fomentar los valores resulta **cada día más necesario** debido a:

1. La **confusión**, incluso el **trastrueque de valores,** especialmente los sociales, éticos y espirituales, que a menudo se manifiestan en nuestra sociedad en forma de indefinición ética, materialismo y escepticismo.

2. La profunda **crisis de principios morales** en todos los órdenes: políticos, económicos, institucionales, e incluso familiares y personales, impactan de manera especial a las generaciones más jóvenes.

3. Una cierta proliferación de **grupos pseudomísticos** o **pseudoliberadores** que proponen "caminos a la perfección" tratando de llenar un vacío espiritual generalizado en muchos hogares.

4. La **exaltación desmesurada** de las soluciones **políticas, económicas** y **tecnológicas,** de paso que se anula o resta méritos a las salidas humanas, comprensivas, sociales y empáticas.

5. La invasión desbordante de la **corrupción** moral, fomentada por algunos medios de comunicación y expresada por ciertas manifestaciones de un mal denominado arte.

6. La **devaluación de la genuina espiritualidad** y de la **creencia en lo trascendente,** unido a la ironía, cuando no la burla, hacia los sentimientos altruistas y hacia la fe.

7. La **ausencia de esperanza** y el evidente desencanto motivado por el **mal ejemplo** de los modelos tradicionales: los líderes.

éticas y espirituales; o en otros términos, sin olvidar la **estructura moral idónea** para responder a esta sociedad competitiva; para superar las continuas crisis sin sentirse turbado, sin perder la esperanza activa en un porvenir más justo, más igualitario y más dichoso.

El papel de la familia

Ya hemos expresado con anterioridad que cada familia, conforme a su fe y sus creencias, sus tradiciones y sus raíces culturales, y también según su enfoque económico, ecológico o social, establece su propio estilo de vida. Es decir, posee una manera propia de pensar y de sentir, de afirmarse en ciertos principios, heredados, adquiridos o generados por una reflexión crítica y serena. Esa forma de pensar proporciona la base de la educación o de la transmisión de valores y de principios a los descendientes.

A ese modo particular de concebir y operar en la vida, lo llamamos el **estilo de vida familiar,** que puede o no ser metódico, democrático, disciplinado, altruista, práctico, espiritual, respetuoso con las costumbres positivas y con los anhelos naturales, o no.

Esa filosofía o ese modo de vida pueden emanar, además, de una mayor o menor formación cultural; si esta es sistemática y crítica, o "intuitiva" pero inteligente, siempre proveerá un **fundamento** para desarrollar los mayores y mejores valores que la familia considera útiles para una vida satisfactoria y provechosa.

El modo de concebir los principios y valores se halla ligado a la **filosofía o creencias** adoptadas y aceptadas en la **vida cotidiana** de padres e hijos. Según las concepciones ideológicas, religiosas o pedagógicas que sirven de base, se darán unas u otras **escalas de valores.** Estas escalas, con su específica ordenación de prioridades y necesidades, motivan las **conductas concretas**. No es, desde luego, la misma la escala de valores de un materialista, de un partidario del psicoanálisis, de un místico, de un demócrata laico, de un cristiano fiel...

Una madre le dice a su hija: «No te pongas ese vestido porque es muy provocativo y te faltarán al respeto.» Otra, en cambio, le dice a la suya: «Cómprate un vestido más moderno y más llamativo, y que así todos puedan admirar tu belleza.»

Los principios o valores que conforman la **filosofía básica** de una familia van gestando, por medio del diálogo, de la argumentación y del ejemplo, la conducta de los niños, sus modales sociales, sus gustos e intereses, e incluso sus ideales y objetivos.

La actuación diaria de los progenitores, sobre todo si se muestran como **compañeros** de sus hijos, va dejando una huella moral, social y espiritual, y por medio de la costumbre, propicia que los pequeños vayan incorporando paulatinamente, de manera natural, los principios y valores deseables a sus vidas.

Desde una perspectiva filosófica reflexiva, también los padres se plantean **interrogantes** que desembocarán en la **búsqueda de respuestas** significativas presentes y futuras. Esto atañe tanto a la persona como individuo, cuanto como agente de una sociedad en la que las relaciones interpersonales deben regirse por valores sociales de libertad, solidaridad, igualdad y respeto.

La psicología en el desarrollo de los valores

Nadie pretende que los padres, además de sus múltiples ocupaciones, se conviertan en psicólogos de sus hijos. A pesar de todo, con su conocimiento intuitivo y práctico de los pequeños, y por medio de la experiencia que adquieren al observarlos diariamente, pueden crecer en **sabiduría psicológica**.

Si además se esfuerzan en formarse por medio de lecturas, programas radiofónicos o televisivos apropiados, conferencias e intercambios de experiencias con otros padres y educadores, podrán alcanzar un nivel de madurez adecuado.

Un **principio psicológico** *fundamental* lo constituyen las **diferencias individuales**. Nuestros hijos son en muchas facetas diferentes entre sí, de modo que lo que va bien a uno puede chocar con la personalidad del otro, o lo que es fácil para un hijo resulta incomprensible o impracticable para otros.

Cuando su mamá le dice a Luisito: «No grites tanto cuando juegas con tus amiguitos; ellos no son sordos y además te dañas la garganta», el niño lo acepta y replica: «Sí, mamá.» Sin embargo, cuando a Carina le dice lo mismo, ella responde: «Si no grito, no me hacen caso... y aquí en mi casa, la que mando soy yo.» Y continúa gritando.

La psicología no solo nos ayuda a comprender a nuestros hijos en sus **diferencias temperamentales** sino a comprenderlos en los **momentos especiales** de su vida, enfermedades, desánimos, complejos, incertidumbres.

Si queremos desarrollar en ellos personalidades fieles a los principios y valores escogidos, hemos de buscar las ocasiones más propicias, tanto en lo relativo a su salud como en relación con su estado de ánimo y con sus intereses.

No se trata únicamente de inculcar, predicar, enseñar, incluso mostrar con el ejem-

Aunque a menudo tienden a ser excesivamente transigentes con sus nietos, la figura de los abuelos representa un inestimable vehículo para la transmisión de valores positivos a los niños. El contacto frecuente con estos veteranos de la vida ya es de por sí un saludable indicio de madurez infantil, aparte de proporcionar a niñas y niños la oportunidad de impregnarse de una sabiduría acrisolada por el tiempo (ver el cuadro de la página 27).

plo de nuestras conductas; sino también de **buscar** los **medios,** los **instrumentos** y los **momentos** *más idóneos* para el desarrollo del carácter y la adquisición de conductas positivas y duraderas.

La **motivación** es una de las facetas de la psicología que es necesario emplear en la tarea de transmitir los valores. Hemos de usar recursos atrayentes que activen no solo el deseo sino también la voluntad.

La **comunicación** ha de ser **clara y afectuosa**, basada en el diálogo razonado, sereno y franco; con el fin de que nuestros hijos sientan interés, admiración y el deseo de desarrollar estos valores.

No es suficiente el aprecio por estos principios de vida, sino que se han de integrar de forma natural en la personalidad, a través de un **libre compromiso** con ellos.

Con este enfoque psicológico, los valores enseñados, apreciados y desarrollados se tra-

ducirán primero en una **conciencia personal,** y luego en **acciones morales, sociales, solidarias y favorecedoras** de un bienestar personal y comunitario.

Con toda naturalidad, los padres irán descubriendo gratamente la **asimilación** de los principios hasta en los más pequeños detalles y en las situaciones más inesperadas. Esto puede ocurrir, por ejemplo, cuando una madre observa a su hija jugando a las mamás y diciéndole a su muñeco: «A la mamita le entristece que seas egoísta y mentiroso; debes querer a tus hermanitos.»

La pedagogía en el desarrollo de los valores

Aunque habitualmente asociemos el concepto de pedagogía al centro escolar y a los profesionales de la educación, no hemos de olvidar que los *primeros* y *más influyentes* educadores son la **madre** y el **padre**.

continúa en la página 177

Las mentiras y el valor de la verdad

En el mundo infantil la imaginación y la fantasía se confunden con la realidad. El niño, cuando juega a ser bombero, no está haciendo una representación teatral; es bombero y, a su nivel, se siente y actúa como tal. Se trata de un periodo en el que el niño **no diferencia claramente el mundo real del ficticio**, lo cual explica que antes de los cinco años parezca mentir –sin que lo haga en realidad–, cuando nos cuenta hechos que le han ocurrido, o acciones que ha llevado a cabo y que los adultos identifican claramente como fantásticas o irrealizables por el pequeño.

Todos estos hechos que el niño relata han sucedido realmente en su mundo mágico. Cuando los narra, es preciso hacerle comprender que eso no ha ocurrido en el mundo en que vivimos, que solo lo ha vivido en su imaginación. Nunca se lo debe llamar mentiroso, ni castigarlo por ello, pues, en el sentido estricto del término, no ha mentido.

A partir de los 6 años la situación es diferente. El niño **interioriza** con claridad el concepto de mentira, y sabe cómo y cuándo emplearla en su propio beneficio. Los niños mentirosos se dan con mayor facilidad en aquellos hogares que aceptan y practican la "**mentira social**" o de conveniencia, o que tienen tendencia a adornar y exagerar la realidad.

Desde que el niño es muy pequeño debe aprender a no mentir, a no deformar la realidad con exageraciones y a no buscar justificaciones absurdas para acciones incorrectas. Esto es mucho más fácil de conseguir si entre padres e hijos existe una profunda amistad y ambas partes son capaces de abrir su corazón con naturalidad.

Así pues, los padres han de esforzarse en que sus hijos sean **sinceros**, que sean capaces de exponer sin rodeos, sin complicaciones y sin exageraciones, la realidad de lo que piensan, sienten o perciben.

La sinceridad, que no es sinónimo de una franqueza excesiva, presupone una serie de actitudes interiores positivas e implica el deseo de buscar la verdad no solo en el mundo que nos rodea, sino en su propio interior. Un requisito para evitar deslizarse por el camino de la mentira, es gozar de un **autoconcepto equilibrado** (ver cap. 8) y una **personalidad armoniosa**, exenta de malicia y temores irracionales.

En nuestro tiempo, el **valor de la verdad** resulta a menudo puesto en entredicho por causa de actitudes frívolas y ejemplos sociales corruptos. Es tarea de padres y educadores fomentar ese valor en el niño, contribuyendo así a romper con esa lamentable tendencia. Hay que ayudarlo a comprender que sin la verdad el mundo, simplemente, no puede funcionar, sea cual sea la esfera que analicemos

Para ello pueden recurrir a los **modelos insobornables** que la historia también nos ofrece. Jesús, Sócrates, Tomás Moro, Lutero, Gandhi… son pruebas irrefutables de que es posible ser veraz en las más adversas circunstancias.

viene de la página 175

Cuando la mamá le enseña a su bebé a no llorar por cualquier cosa, o intenta corregir su tendencia a revolcarse en el suelo por cualquier capricho, le está inculcando **valores importantes** para su conducta. Los padres son los primeros educadores de sus hijos, no solo en cuanto a valores materiales o de salud, sino también en lo relativo a los valores sociales, afectivos y morales.

Cuando una madre le dice a su hija: «Antes del postre tienes que comer verduras o algún plato consistente», le está enseñando, de modo sencillo y práctico, una serie de **principios saludables** que le resultarán beneficiosos en la vida posterior. Igualmente, cuando un padre le dice a su hijo de 11 años: «No gastes todo tu dinero en diversiones y chucherías; guarda algo para el próximo fin de semana, que iremos de excursión», le está impartiendo una enseñanza basada en el valor de una sana **economía**.

Estos consejos, administrados *repetidamente* y con *paciencia*, surten efecto si se acompañan del *ejemplo* de los padres en su propia conducta. Una niña le dice a su madre: «He invitado a Rosa a merendar mientras estudiamos juntas; ha perdido a su padre hace poco tiempo y está muy triste...» Esta muchachita está internalizando principios de **igualdad**, de **comprensión** y de **solidaridad** en el ámbito social.

Los padres disponen de muchas ocasiones para **transmitir valores** sociales, morales o espirituales. Considérense las siguientes **recomendaciones** al respecto:

- Hacerlo de modo **inteligente** y en un momento **oportuno**.
- Practicar el **diálogo** y permitir la participación.
- Emplear gestos y tonos **afectuosos**.
- Despertar en los hijos el **interés** y el deseo de poner en práctica los consejos.
- **Ilustrar** los valores que se quieren inculcar por medio de ejemplos de personas que los niños aprecian.
- **Evaluar** las acciones de los hijos a fin de corregirlos o elogiarlos a su debido tiempo; hacerlo en privado con ellos.

Inculcarles el aprecio por las pequeñas cosas, sencillas y naturales, puede hacer de niñas y niños, seres preparados para amar la ecología, la paz y el orden natural.

Tradición ética

En la historia del pensamiento encontramos multitud de ejemplos que nos recuerdan el valor básico y fundamental de los principios:

1. Los sabios y maestros de la antigüedad, como **Platón** y **Aristóteles** destacaron la importancia de los valores o virtudes como principios vitales en las personas y en los pueblos.

2. Los **estoicos**, en sus doctrinas, destacaron que la ley universal es también la **ley moral** que ofrece al hombre las virtudes. El sabio debe librarse de todas aquellas ligaduras, pasiones, tendencias y necesidades que le impidan dicha obediencia.

continúa en la página 182

Consejos pedagógicos del sabio Salomón

«El principio de la sabiduría es el respeto al Eterno. Solo los insensatos desprecian la sabiduría y la enseñanza» (1: 7).

«Hijo mío no olvides mi Ley, tu corazón guarde mis Mandamientos, porque alargarán tu vida, y te darán prosperidad» (3: 1-2).

«Que tu primera adquisición sea la sensatez; aunque te cueste todo lo que tienes adquiere prudencia; conquístala y te hará noble; abrázala, y te enriquecerá» (4: 7-8).

«El hijo sensato es la alegría de su padre; el hijo necio, la pena de su madre» (10: 1).

«El hijo sensato acepta la corrección de su padre, el insolente no escucha la represión» (13: 1).

«La blanda respuesta calma la ira, pero la palabra áspera excita el furor» (15: 1).

«Hay amigos que causan la ruina; pero hay amigos que son más que hermanos» (18: 24).

«El vino es excitante y la cerveza alborotadora. El que por ellos se desvía, no es inteligente» (20: 1).

Salomón, arquetipo y paradigma del sabio, recogió sus profundas reflexiones inspiradas en dos grandes libros suyos, Proverbios y Eclesiastés. Como gran conocedor de la naturaleza humana, sabía que el carácter se forja en los primeros años de vida; por eso dedicó muchos de sus proverbios a la instrucción de los hijos.

El discurso maestro de Jesucristo

«Oísteis que fue dicho: "Amarás a tu prójimo y aborrecerás a tu enemigo". Sin embargo yo os digo: Amad a vuestros enemigos, hablad bien de los que os calumnian, haced bien a los que os aborrecen, y orad por los que os maltratan y os acosan. Así seréis hijos de vuestro Padre del cielo, que envía su sol sobre malos y buenos, y manda la lluvia sobre justos e injustos. Porque si amáis a los que os aman, ¿que premio merecéis? ¿No hacen lo mismo hasta las recaudadores de impuestos? Y si mostráis afectos únicamente a vuestra gente, ¿qué tiene eso de extraordinario? ¿No hacen eso mismo los incrédulos? Por consiguiente, sed buenos del todo, como es bueno vuestro Padre del cielo.»

«No os agobiéis por el mañana, porque el mañana ya traerá sus problemas. A cada día le bastan sus disgustos.»

«No juzguéis y no os juzgarán; porque con el juicio con que juzguéis os juzgarán, y la medida que apliquéis os aplicarán. ¿Por qué te fijas en la paja que está en el ojo de tu hermano, y no reparas en la viga que hay en el tuyo? O, ¿cómo te puedes atrever a decirle a tu hermano: "Deja que te saque la paja que tienes en el ojo", cuando tienes una viga en el tuyo?»

«Así que todo lo que queráis que los demás os hagan, hacédselo vosotros a ellos. Porque esto es lo que significa la Ley y los Profetas.»

El discurso maestro de Jesucristo, conocido como el Sermón del Monte, es un compendio de las enseñanzas de Jesús que, como él mismo indica, no son más que una actualización y aplicación de los principios éticos de "la Ley y los Profetas" (el Antiguo Testamento), reflejados en los Diez Mandamientos que Moisés recibió en el Sinaí.

La cuarta dimensión

A pesar de la controversia que existe en muchos países en cuanto a la conveniencia de la formación religiosa en la escuela, parece fuera de toda duda que los primeros años de vida son los más apropiados para sentar las bases de un buen desarrollo de la hoy a menudo olvidada dimensión espiritual.

Todos los educadores se muestran de acuerdo en que un desarrollo humano equilibrado tiene que tomar en cuenta tres dimensiones: la **física,** la **mental** y la **social.** En cambio no todos se preocupan realmente de la cuarta dimensión: la **espiritual,** aunque muchos piensan que el haberla descuidado, es unas de las causas fundamentales de la carencia de ideales de nuestra sociedad.

El espíritu humano necesita satisfacer su necesidad de valores. Si no encuentra los más elevados y trascendentes, buscará otros, que a menudo son de lo más disparatado. Decía a este propósito el célebre escritor inglés **G. K. Chesterton:** «Cuando la gente no puede creer en Dios, acaba creyendo en cualquier cosa.» Y ningún padre ni madre conscientes, desean ver a sus hijos construyendo su estilo de vida sobre el fundamento de "cualquier cosa".

Por eso, desde nuestra atalaya de educadores con experiencia, hemos llegado a la firme convicción de que **todo niño,** para desarrollarse **equilibradamente,** tiene que colmar con valores éticos y religiosos bien fundamentados su necesaria **dimensión espiritual.**

Desarrollar y fortalecer el espíritu

La dimensión espiritual del niño se puede afirmar y desarrollar sobre todo en el hogar. Lo que debiera hacerse de forma creativa y libre de imposiciones, evitando así el rechazo de los valores propuestos. Y es que, por acción u omisión, la función de la familia en la formación ética y espiritual de los niños, puede resultar en la mayoría de los casos, **determinante**. En gran medida todos somos el resultado de nuestro hogar.

Veamos algunas sugerencias para un desarrollo espiritual positivo en el seno de la familia:

- **Integrar con naturalidad los valores espirituales en lo cotidiano.** Los relatos de personajes o hechos paradigmáticos, las canciones infantiles, el uso de material audiovisual... resultan muy atractivos, y efectivos. Por esta vía los pequeños disfrutan de las historias y se identifican con los personajes en cuestión.

- **Compartir las inquietudes espirituales.** Esto es fundamental para sentirse apoyado por los demás, e integrado en el grupo. De ahí la utilidad de la formación que ofrecen a los niños las diferentes iglesias y confesiones.

- **El modelo más cercano.** Para conseguir el desarrollo de un espíritu fuerte y una ética firme, la práctica cotidiana de los padres resulta determinante. Si el padre y la madre actúan con madurez y unidad, generosidad y tolerancia, y son honestos y veraces en todos los casos, **su ejemplo valdrá más que todos los razonamientos** que empleen o las **formas culturales** que practiquen.

El gran modelo

Las enseñanzas de Jesucristo son un paradigma de gran valor. Su ejemplificación del **altruismo** y la **firmeza** de carácter, su **compromiso** con los más desfavorecidos y marginados de la sociedad, su **lucha** por el progreso de forma **pacífica,** y su **entrega** completa en servicio de la humanidad, son el gran modelo que los padres y educadores pueden ofrecer a un niño (ver págs. 178 y 180).

El desarrollo ético y espiritual

Los primeros siete años de vida son decisivos en la formación de los valores del espíritu. Al llegar a la edad escolar, el niño cuenta con el desarrollo intelectual y moral suficiente para ir estableciendo una escala de valores éticos, y en particular a medida que se aproxima a la edad puberal. Ofrecemos a continuación unas cuantas observaciones para los padres y educadores que deseen influir positivamente en el desarrollo espiritual de los niños.

La fe es el **motor de la vida.** Sin ella el pasado se nos antoja poco explicable; el presente, sin mucho sentido; y el futuro, demasiado preocupante. Niños y adolescentes, aunque es muy difícil que sepan identificar el origen de sus desazones y temores, sí pueden llegar a darse cuenta de que, cuando han desarrollado **una fe razonada y razonable,** son capaces de encarar la vida con confianza y optimismo.

Sentido para la vida

No parece que nadie haya encontrado mejor antídoto contra la desorientación y el "pasotismo", ni más positiva motivación, que los de saberse **parte de un plan providencial** de un Creador generoso, quien a pesar de inevitables nubarrones y claroscuros de la vida, se preocupa de todas y cada una de sus criaturas de forma individual y constante.

Por eso decía aquel joven treintañero, Maestro de los maestros, conocido por sus paisanos como Jesús de Nazaret, que **la vida, y sobre todo la perdurable,** consiste en «que te conozcan a ti el único Dios verdadero y a Jesucristo a quien has enviado» (S. Juan 17: 3).

Hijos del Padre celestial

La parábola de la oveja perdida, en busca de la cual el Pastor deja las otras noventa y nueve, –según aparece en el Evangelio de S. Mateo 18: 12-14–, pone de manifiesto la confortadora idea de que Dios es un **Padre que no olvida en ningún momento a sus hijos** –niños, jóvenes o adultos– y que los orienta en los a veces tortuosos caminos de la vida mediante su revelación, a través de la naturaleza, la conciencia y las Sagradas Escrituras.

Muchos creyentes han podido experimentar el gozo de sentirse conducidos por la Providencia cada vez que tuvieron que tomar decisiones importantes en la vida. Y esa experiencia personal, cuando se transmite de forma positiva a los hijos, es el mejor generador de fe conocido; puesto que el valor de lo experiencial resulta irrebatible.

El valor que revaloriza la vida

Cuando a un niño se le ha enseñado a considerarse hijo del Padre celestial, y en consecuencia llega a la convicción de que los demás también lo son, se le ha prestado una base muy firme para la **igualdad,** el **respeto** y la **solidaridad.**

Si un niño cree que todos los seres humanos tenemos un origen común y no somos fruto del ciego azar, la **discriminación** por razón de sexo, origen étnico o por diferencias en las creencias, no podrá tener cabida en su mente.

El **respeto a los padres, maestros y autoridades** será algo natural para el niño que ve que sus mayores respetan y confían en su Padre celestial.

Si además el Creador nos hizo a todos iguales y con los mismos derechos y deberes, cualquier niño desarrollará una aguda sensibilidad contra todo tipo de desigualdad, y será fácil que se comprometa voluntariamente en labores de **desarrollo social,** y en la **lucha por la igualdad** entre todos los habitantes del planeta Tierra.

Cuando un niño se da cuenta de que toda la creación es un regalo de la Divinidad, y de que nosotros no somos más que los administradores de unos bienes recibidos de nuestros antecesores y que hemos de legar en buenas condiciones a las generaciones futuras, no le será difícil aceptar los **valores ecológicos.**

Un buen programa de desarrollo

Es cierto que Jesucristo dividió la historia en dos partes, la de antes de su nacimiento y la que se ha desarrollado después de aquel singular acontecimiento.

Y aunque algunos ni siquiera acepten la realidad de ese hecho, lo que nadie puede negar son las enseñanzas de Jesucristo reflejadas de forma impactante en los Evangelios. La superioridad ética de su doctrina es tal, que todas las ideologías pretenden basarse en sus postulados de fraternidad, respeto, perdón y compromiso en favor de los más necesitados.

Jesucristo enseñó que el **amor principio** –no el meramente sentimental– es la energía vital del universo. Y es tan poderoso que ni los enemigos lo pueden resistir, por fuertemente armados –material o ideológicamente– que estén.

Frente a una Divinidad dura y distante, Jesucristo hablaba del "Padre nuestro". En contraste con un Dios que castiga, Jesucristo nos presenta un Consolador.

Y todo niño que tiene un padre firme pero cariñoso, y una madre recta pero dispuesta a consolar, puede comprender a ese Padre fiel y comprensivo. Y este enfoque puede ser aplicado sin dificultad tanto por los creyentes de todas confesiones como por quienes no creen en el más allá, los cuales también necesitan –y anhelan– convivir en paz y armonía en el más acá; pues todos somos en buena medida el "producto" de nuestro hogar, somos como eran nuestros hogares cuando éramos niños.

Los grandes ejemplos

Niños y adultos podemos sentir fascinación por la vida de los grandes hombres y mujeres que, en muchos aspectos, pueden ser ejemplos a seguir: Francisco de Asís, Isaac Newton, Abraham Lincoln, David Livingstone, William Carey, Mahatma Gandhi, Madame Curie, Martin Luther King, Teresa de Calcuta...

Los grandes personajes suelen poner los valores espirituales en primerísimo lugar. Por eso sus vidas son un estímulo para grandes y chicos.

Algunos personajes bíblicos son paradigmáticos, con la ventaja de que en la Sagrada Escritura las biografías presentan los aspectos positivos de sus héroes, pero no ocultan en ningún momento sus fallos o debilidades.

En la Biblia encontramos varios héroes juveniles, cuyas vidas son además la demostración de la influencia del hogar.

Tenemos a **José** en Egipto, a la **joven criada** del general sirio **Naamán,** y a **Daniel** y sus tres compañeros en Babilonia. A una edad muy temprana fueron llevados cautivos. Pero su espíritu se había desarrollado equilibradamente, los principios éticos y morales en los que habían sido formados en sus respectivos hogares eran sólidos y estaban bien fundamentados. Así que en las mayores adversidades permanecieron firmes al deber y siempre actuaron en conciencia, aun a riesgo de sus propias vidas (ver Génesis, 37-47, 2 Reyes 5, Daniel 1-3). El valiente **David,** que derrotara al gigante Goliat y luego llegó a ser el gran poeta de Israel y su más renombrado rey, también es un modelo muy valioso (ver 1 Samuel 16-24).

Usted puede leerles estos emocionantes relatos bíblicos a sus hijos; o si ya tienen edad, lo pueden hacer ellos directamente. Para los más pequeños existen hermosas historias bíblicas ilustradas y con un lenguaje adaptado a su comprensión. También existen buenos vídeos con relatos bíblicos... Recuerde que si sus hijos se acostumbran a gozar con estos mensajes, su desarrollo mental y espiritual está garantizado, y será el complemento perfecto para su crecimiento en lo físico y lo social.

Ya en edades tempranas, niñas y niños pueden plantearse las grandes cuestiones de la vida, y no está mal estimularlos a que lo hagan seriamente: ¿Quién soy? ¿Qué sentido tiene la vida? ¿Qué puedo hacer por los demás?

viene de la página 177

Sometido así a la razón, acepta como valores aquellas virtudes que merecen el calificativo de nobles.

3. En la escala de valores **judeocristiana**, de raíz profundamente espiritual, se expresan los principios de vida integral, recogidos en el **Decálogo** (los Diez Mandamientos) que Moisés recibió en el Sinaí. Los libros sapienciales de esta misma tradición, como el de **Proverbios** (ver algunos ejemplos en la página 178), recogen múltiples orientaciones prácticas para la vida.

4. Las orientaciones dadas en el **discurso maestro de Jesucristo,** conocido como el Sermón del Monte (ver algunos de sus pasajes en la página 178), enuncian probados **principios de convivencia mutua,** y constituyen **mensajes de vida y esperanza** para una sociedad donde predomina el desencanto y la vacuidad.

5. Educadores y filósofos destacaron la importancia y la jerarquía de los valores superiores en la vida. ***Comenio, Pestalozzi, Erasmo, Luis Vives***, no son más que una muestra de ellos.

No es de provecho desalentarse por la violencia, la maldad y la corrupción que acechan a los niños. Por el contrario, es tiempo de redoblar esfuerzos sabiendo que el resultado final será el bienestar y la felicidad para ellos. Recordemos lo que el sabio ***Salomón*** nos dice en el libro de Proverbios: «Adiestra al niño en el camino que debe seguir, aunque sea anciano, no se apartará de él» (Proverbios 2: 6).

Los valores superiores

No hay duda de que educar en valores es una labor global, integral. No se puede educar positivamente olvidando o marginando ciertos valores, a menos que esa educación esté "coloreada" por otros matices ideológicos, sociales, filosóficos, políticos o religiosos. La educación neutra, por lo demás, resulta imposible.

Hoy ***más que nunca*** la **educación** del ser humano debe ser **integral**, pues ha de tener el objetivo irrenunciable de dotarlo de todos los conocimientos que, junto a sus capacidades individuales, a sus intereses e ideales, dé como resultado una persona inteligente, hábil, justa, prudente y altruista.

Todos los valores que tienen que ver con el bienestar, la salud, el conocimiento, el medio ambiente, la eficiencia y la responsabilidad sirven de base a otros valores que podemos llamar **superiores**. Se trata de los valores **sociales, éticos y espirituales**.

Resulta difícil transmitir y ejemplificar valores, y más todavía evaluar la labor educativa de los padres. ¿Quién puede ponerle

Con frecuencia se subestima la capacidad de asimilación de valores por parte de los niños. Tenerla en cuenta permite a los padres recordar la necesidad del ejemplo moral, basado en la coherencia entre dichos y hechos.

precio a una caricia? ¿Cuánto valor tiene ese momento mágico en el que un bebé mira a su madre con satisfacción y entre ambos fluye una corriente afectiva?

Enseñarle el servicio abnegado por amor, el respeto por los que no piensan como él, los derechos de las minorías y la libertad de conciencia, supone darle, además de una positiva lección sobre valores, una buena cuota de felicidad. Decía **Rabindranaz Tagore,** el poeta bengalí:

> Yo dormía, y soñaba
> que la vida
> era **alegría.**
> Me desperté, y vi
> que la vida
> era **servicio.**
> Serví, y comprendí
> que el **servicio**
> era **alegría**

Transmitir al niño principios, valores y actitudes con el propósito de que llegue a ser una persona responsable, solidaria, defensora de la igualdad, es algo que no se puede hacer con un manual o con un vídeo de instrucciones. El niño lo aprende de sus mayores –padres, abuelos, maestros– en el **simple y diario vivir** cotidiano, en el club deportivo, en el aula, en casa, en la iglesia.

La educación en valores morales y espirituales va más allá del desarrollo de la capacidad intelectual o la sensibilidad emocional. Es la búsqueda y el encuentro de una senda luminosa donde la persona se enfrenta a las respuestas personales de los **grandes enigmas de su existencia**: "¿Quién soy?" "¿De dónde vengo?" "¿A dónde voy?" Y más concretamente: ¿Tiene sentido mi comportamiento y mi servicio a los demás? La espiritualidad, la fe, la esperanza, el amor al prójimo, ¿son mera ilusión o se justifican por una creencia cierta y una vivencia real?

Los niños evolucionan lentamente en la adquisición de estos principios y valores. En los primeros años son **imitadores** de sus padres tanto en actitudes como en expresiones espirituales. En los años posteriores de la infancia se dejan guiar por los preceptos y normas que les muestran sus mayores –padres y educadores–, y tratan de respetarlas y obedecerlas siempre que perciban coherencia por parte de ellos.

El desarrollo de los valores espirituales

La educación en los valores espirituales es *la más delicada,* requiere de los padres no solo **formación** sino también **fidelidad;** pues lo espiritual, más que la base, es **"la trama y la urdimbre"** que da consistencia a toda la escala de valores.

Es un hecho que lo espiritual o religioso aparece de una u otra manera en todas las

continúa en la página 186

Declaración de los Derechos del Niño

El 20 de noviembre de 1959, la Asamblea General de las Naciones Unidas aprobó y proclamó por unanimidad la Declaración de los Derechos del Niño, en la cual se consignan los derechos y libertades de que todo niño, sin excepción, debe disfrutar.

Muchos de los derechos y libertades allí proclamados están ya mencionados en la Declaración Universal de los Derechos Humanos adoptada por la Asamblea General en 1948. Sin embargo, se convino en que las necesidades especiales de la infancia justificaban una Declaración separada.

PREÁMBULO

CONSIDERANDO que los pueblos de las Naciones Unidas han reafirmado en la Carta su fe en los derechos fundamentales del hombre y en la dignidad y el valor de la persona humana, y su determinación de promover el progreso social y elevar el nivel de la vida dentro de un concepto más amplio de libertad.

CONSIDERANDO que las Naciones Unidas han proclamado en la Declaración Universal de los Derechos Humanos que toda persona tiene los derechos y libertades enunciados en ella, sin distinción alguna de raza, color, sexo, idioma, religión, opinión política o de cualquier otra índole, origen nacional o social, posición económica, nacimiento o cualquiera otra condición.

CONSIDERANDO que el niño, por su falta de madurez física y mental, necesita protección y cuidados especiales, incluso la debida protección legal, tanto antes como después del nacimiento.

CONSIDERANDO que la necesidad de esta protección especial ha sido enunciada en la Declaración de Ginebra de 1924 sobre los Derechos del Niño y reconocida en la Declaración Universal de los Derechos Humanos y en los convenios constitutivos de los organismos especializados y de las organizaciones internacionales que se interesan en el bienestar del niño.

CONSIDERANDO que la humanidad debe al niño lo mejor que puede darle.

PROCLAMA la presente Declaración de los Derechos del Niño a fin de que este pueda tener una infancia feliz y gozar, en su propio bien y en bien de la sociedad, de los derechos y libertades que en ella se anuncian, e insta a los padres, a los hombres y mujeres individualmente, y a las organizaciones particulares, autoridades locales y gobiernos nacionales, a que reconozcan estos derechos y luchen por su observancia con medidas legislativas y de otra índole adoptadas progresivamente en conformidad con los siguientes principios:

PRINCIPIO 1

El niño disfrutará de todos los derechos enunciados en esta Declaración. Estos derechos serán reconocidos a todos los niños, sin excepción alguna ni distinción o discriminación por motivos de raza, color, sexo, idioma, religión, opiniones políticas o de otra índole, origen nacional o social, posición económica, nacimiento u otra condición, ya sea del propio niño o de su familia.

PRINCIPIO 2

El niño gozará de una protección especial y dispondrá de oportunidades y servicios, dispensado todo ello por la Ley y por otros medios para que pueda desarrollarse física, mental, moral, espiritual y socialmente en forma saludable y normal, así como en condiciones de libertad y dignidad. Al promulgar leyes con este fin, la consideración fundamental a que se atenderá será el interés superior del niño.

PRINCIPIO 3

El niño tiene derecho desde su nacimiento a un nombre y a una nacionalidad.

PRINCIPIO 4

El niño debe gozar de los beneficios de la seguridad social. Tendrá derecho a crecer y a desarrollarse en buena salud; con este fin deberán proporcionarse, tanto a él como a su madre, cuidados especiales, incluso atención prenatal y postnatal. El niño tendrá derecho a disfrutar de alimentación, vivienda, recreo y servicios médicos adecuados.

PRINCIPIO 5

El niño física o mentalmente impedido, o que sufra algún impedimento social, debe recibir el tratamiento, la educación y el cuidado especiales que requiere su caso particular.

PRINCIPIO 6

El niño, para el pleno y armonioso desarrollo de su personalidad, necesita amor y comprensión. Siempre que sea posible, deberá crecer al amparo y bajo la responsabilidad de sus padres y, en todo caso, en un ambiente de afecto y seguridad moral y material; salvo circunstancias excepcionales, no deberá separarse al niño de corta edad de su madre. La sociedad y las autoridades públicas tendrán la obligación de cuidar especialmente a los niños sin familia o que carezcan de medios adecuados de subsistencia. Para el mantenimiento de los hijos de familia numerosa conviene conceder subsidios estatales o de otra índole.

PRINCIPIO 7

El niño tiene derecho a recibir educación, que será gratuita y obligatoria por lo menos en las etapas elementales. Se le dará una educación que favorezca su cultura general y le permita, en condiciones de igualdad de oportunidades, desarrollar sus aptitudes su juicio individual, su sentido de responsabilidad moral y social y llegar a ser un miembro útil de la sociedad.

El interés superior del niño debe ser el principio rector de quienes tienen la responsabilidad de su educación y orientación; dicha responsabilidad incumbe, en primer término a sus padres.

El niño debe disfrutar plenamente de juegos y recreaciones, los cuales deberán estar orientados hacia los fines perseguidos por la educación; la sociedad y las autoridades públicas se esforzarán por promover el goce de este derecho.

PRINCIPIO 8

El niño debe, en todas circunstancias, figurar entre los primeros que reciben protección y socorro.

PRINCIPIO 9

El niño debe ser protegido contra toda forma de abandono, crueldad y explotación. No será objeto de ningún tipo de trata

No deberá permitirse al niño trabajar antes de una edad mínima adecuada; en ningún caso se le dedicará ni se le permitirá que se dedique a ocupación o empleo alguno que pueda perjudicar su salud o su educación, o impedir su desarrollo físico, mental o moral

PRINCIPIO 10

El niño debe ser protegido contra las prácticas que pueden fomentar la discriminación racial, religiosa o de cualquier otra índole.

Debe ser educado en un espíritu de comprensión, tolerancia, amistad entre los pueblos, paz y fraternidad universal, y con plena conciencia de que debe consagrar sus energías y aptitudes al servicio de sus semejantes.

viene de la página 183

culturas del pasado y del presente. Y cuando algún sistema totalitario, más o menos abierta o encubiertamente, trata de eliminarlo, siempre acaba reapareciendo con mayor fuerza. La dimensión espiritual del ser humano no siempre se concreta en una religión estructurada o en unas formas particulares de culto; pero eso no significa que esa dimensión pueda ser suprimida o anulada.

Con todo, es cierto que en el plano individual hay quienes profesan y practican una fe, y otros que no se adhieren a ninguna creencia religiosa.

Lo que sí resulta algo generalizado es que los padres que confían en Dios, como Padre providente y bondadoso, desean transmitir su confianza y su fe a sus hijos; ya que tienen la convicción de con ellas la vida cobra auténtico valor.

Todo ser humano más pronto a más tarde se plantea el sentido de su vida. Y necesita encontrarlo. Cada niño que viene al mundo, se tendrá que enfrentar más pronto o más tarde a ese dilema.

Padres y educadores, aunque no podemos decidir por nuestros hijos, sí que tenemos el deber, y el privilegio, de **orientarlos** en su búsqueda.

Para apoyar esa búsqueda hemos creado los cuadros de las páginas 179-181.

LA ORACIÓN DE UN PADRE

Dame, oh Señor, un hijo que sea lo bastante fuerte para saber cuando es débil, y lo bastante valeroso para enfrentarse consigo mismo cuando sienta miedo; un hijo que sea digno y firme en la derrota honrada, humilde y magnánimo en la victoria.

Dame un hijo que nunca doble la espalda cuando deba erguir el pecho, un hijo que sepa conocerte a ti... y conocerse a sí mismo, todo lo cual es la piedra fundamental del conocimiento.

Dame un hijo cuyo corazón sea puro, cuyos ideales sean altos, un hijo que se domine a sí mismo antes que pretenda dominar a los demás, un hijo que aprenda a reír, pero que también sepa llorar, un hijo que avance hacia el futuro, pero que nunca olvide el pasado.

DOUGLAS MACARTHUR

BIBLIOGRAFÍA

AGUILAR, I. / GALBES, H., *Enciclopedia salud y educación para la familia*, 4 tomos. Madrid, Editorial Safeliz, 1999.

AINSWORTH, M. D. S. / BELL, S. M., "Apego, exploración y separación, ilustrados a través de la conducta de niños de un año en una situación extraña", en J. Delval, *Lecturas de psicología del niño*. Madrid, Alianza Editorial, 1978.

ARBELO LÓPEZ DE LETONA, ANTONIO *ET AL.*, *Nacer y crecer*. Madrid, Data Films, 1986.

BECORÍA, E. (ELENA OCHOA, COORD.), *Guías Prácticas. Psicología y bienestar*. Madrid, Editorial Aguilar, 1996.

BOWLBY, J., *El vínculo afectivo*. Buenos Aires, Paidós, 1976.

— *La pérdida*. Buenos Aires, Paidós, 1985.

BUTLER, N. *ET AL.*, *Enciclopedia de la vida*. Barcelona, Bruguera, 1982.

CAMPILLO, J., *Fundamentos de psicología general y evolutiva*. Burgos, Hijos de Santiago Rodríguez, 1975.

CEREZO RAMÍREZ, F., *Conductas agresivas en la edad escolar*. Madrid, Ediciones Pirámide, 1997.

DAMON, W., *Social and Personality Development*. Nueva York, Norton, 1983.

DÍAZ AGUADO, M. J., *El papel de la interacción entre iguales en la adaptación escolar y el desarrollo social*. Madrid, CIDE, 1986.

DOISE, W. / MUGNY, G., "Factores sociológicos y psicosociológicos del desarrollo cognitivo", *Anuario de Psicología*, 18, 21-41, 1978.

ERIKSON, E., *Infancia y sociedad*. Barcelona: Paidós Ibérica, 1983.

FERNÁNDEZ, P. R., "Dogmatismo y autoestima", *Revista de Psicología General y Aplicada*, 43 (4), 73-98, 1990.

FUENTES MENDIOLA, A., *¿Entiendes a tus hijos?* Madrid, Rialp, 1992.

GARCÍA HOZ, V., *Diccionario de pedagogía*. 2 tomos. Barcelona, Labor, 1974.

GESELL, ARNOLD, *The Child from Five to Ten*. Nueva York y Londres, Harper and Brothers, 1946.

(Existe edición en español: *El niño de 5 a 10 años*. Barcelon, Paidós, 1998).

HARTUP, W. W., "Relaciones de amistad y familiares: dos mundos sociales", en Rutter, M. (Ed.), *Fundamentos científicos de psiquiatría del desarrollo*. Barcelona, Salvat, 1985.

HAVIGHURST, R. J., *Developmental tasks and education*. Nueva York, David McKay, 1972.

HYDE, K. E., *Religion in childhood and adolescence*. Birmingham (Alabama), Religious Education Press, 1990.

KOHLBERG, L., *Essays on moral development*. San Francisco, Harper & Row, 1981.

Existe edición en español: *Psicología del desarrollo moral*. Bilbao, Desclée de Brouwer, 1992.

MIRALBELL, E., *¿Sabemos ser padres?* Madrid, Prensa Española-Magisterio Español, 1976.

PAMPLONA, J., *Enciclopedia de los alimentos*. 3 tomos. Madrid, Editorial Safeliz, 1999.

PIAGET, J., *El nacimiento de la inteligencia en el niño*. Barcelona, Crítica, 1990.

— *La formación del símbolo*. México, FCE, 1966.

— *The moral judgment of the child*. Nueva York, Harcourt Brace, 1932.

(Existe edición en español: *El criterio moral en el niño*. Barcelona, Fontanella, 1983).

ROGOFF, B., *Aprendices del pensamiento*. Barcelona, Paidós, 1993.

RUBIN, Z., *Amistades infantiles*. Madrid, Morata, 1981.

SÁNCHEZ BUCHÓN, C., *Pedagogía*. Madrid, Iter Ediciones, 1970.

SENN, M. J. E./SOLNIT, A. J., *Trastornos de conducta y del desarrollo en el niño*. Barcelona, Editorial Pediátrica, 1972.

SCHIAMBERG, L. B., *Human development*. Londres, Collier Macmillan, 1985.

STEINBERG, L., "Latchkey children and susceptibility to peer group pressure: An ecological analysis", *Developmental Psychology*, 22, 433-439, 1986.

TIERNO, B., *Los valores humanos*. Madrid, Tesa, 1992.

VALLEJO-NÁJERA, J. A., *Guía práctica de psicología*. 19ª ed., Madrid, Temas de Hoy, 1997.

VAN PELT, N., *Hijos triunfadores*. Coral Gables (Florida), APIA, 1986

VYGOTSKY, L. S., *El desarrollo de los procesos biológicos superiores*. Barcelona, Crítica, 1979.

— *Mind in Society: The Development of Higher Mental Processes*. Cambridge (Mass.), Harvard University Press, 1978.

WHITE, E. G., *Conducción del niño*. Buenos Aires, ACES, 1970.

— *La educación*. Mountain View (California), Publicaciones Interamericanas, 1968.

— *El hogar adventista*. Mountain View (California), Publicaciones Interamericanas, 1959.

ÍNDICE ALFABÉTICO

Abuelos, 27, 175 (foto)

Actitudes frente al sexo, 116

Adquisición de valores, 168

Adulto y aprendizaje del niño, 39

Alimentación infantil, 34 (cuadro)

Allport, Gordon, 84

Ambiente, 87

Ámbito social, 57

Aprendizaje del niño,
  y el adulto, 39
  – de la lengua, 43
  – mecanismos de, 37
  – por adaptación, 37
  – por imitación, 37, 58
  – por refuerzo, 39
  – vicario, 58

Aprobación, 154
  – y autoestima, 152

Aristóteles, 177

Atención, falta de, 135 (cuadro)

Ausubel, David, 151

Autoconcepto, 151, 16
  – formación, 48

Autodisciplina, 98, 105

Autodominio, 98

Autoestima, 65, 149, 151,
  160 (cuadro)
  – cómo favorecerla, 158 (cuadro)
  – cómo se forma, 151
  – Dios, fuente de, 162
  – equilibrada, 165 (cuadro)
  – factores, 153
  – infantil, 151
  – resultados de la, 154
  – sana, resultados de una, 159
    (cuadro)
  – tarea de los padres, 157
  – test, 165
  – y vida social, 153

Bandura, Albert, 74

Bebé, cómo aprende, 37
  – mundo social del, 51
  – rutina del, 49

Berenda, R. W., 65

Carácter, 83
  – desarrollo, 87 (cuadro)
  – e influencia del entorno, 86
  – proceso de formación, 85
  – y personalidad, 83
  – y predisposiciones genéticas, 86

Carencia afectiva, síndrome de, 50

Castigos, 107 (cuadro)

Celos infantiles, 30

Chuparse el dedo, 91

Comenio, 182

Comer, problemas al, 55

Comunicación, 14, 16
  – cómo funciona, 17
  – componentes, 20 (cuadro)
  – no verbal, 20 (cuadro),
    21 (cuadro)
  – y familia, 16, 18
  – y familia, dificultades, 21
  – y participación, 26 (cuadro)
    Ver también Diálogo

Conciencia, de sí mismo, 152
  – personal, 175

Conducta y valores, 170

Confianza, 47

Control, de impulsos,
  falta de, 135 (cuadro)
  – de los padres sobre amistades
    de sus hijos, 61

Crecimiento, 34, 36

Creencias, 171, 174

Decálogo, 182

Deporte, 68, 143 (cuadro), 147
  (cuadro), 153, 165

Derechos del niño, 184 (cuadro)

Desarrollo, cognitivo, teoría del, 37
  – de la confianza, 47
  – de la sexualidad infantil, 112
    (cuadro)
  – del carácter, 84, 87 (cuadro)
  – del lenguaje, 41, 43
  – espiritual, 180-181 (cuadro)
  – ético, 180-181 (cuadro)
  – físico, 34, 36
  – infantil y juego, 68
  – intelectual del niño, 35
  – intelectual del niño, influencia
    de los padres sobre el, 41
  – psicológico equilibrado, 49
  – psicosocial, 63
  – sensomotor, estadios del, 38

Diálogo, amable, 22
  – ambiguo, 23
  – analítico, 22
  – autocrático, 23
  – duro, 23
  – familiar, 22
  – investigador, 22
  – orientativo, 23
  – tipos de, 22
    Ver también Comunicación

Dimensión espiritual, 179 (cuadro)

Dimensión social del niño, 61

Disciplina, 97
  – cómo impartirla, 99
  – educativa, 104
  – errónea, riesgos de una, 104
  – para qué sirve, 98
  – paterna favorece la
    autodisciplina, 105 (cuadro)
  – precauciones, 100 (cuadro)
  – y conducta, 105

Discurso maestro de Jesucristo,
  178 (cuadro)

Divorcio e hijos, 25, 29
  – reacción de los hijos, 28

Doll, Edgar A., 142 (cuadro)

Dormir, dificultades, 135 (cuadro)

Edad, prepuberal, 113
– temprana e inteligencia,
42 (cuadro)

Educación, en familia, 13
– en valores, 170
– integral, 130, 147
– para el autodominio, 98
– sexual, 111, 113, 124

Egocentrismo, 152

Ejemplo de los padres
y televisión, 80

Ejercicio físico,
Ver Deporte

Emociones y personalidad, 46

Entorno familiar, 14, 16

Enuresis, 143

Erasmo, 182

Erikson, Eric, 47, 86

Escala de valores, 154

Escolar, edad, 28
– etapa, objetivos de la, 138
– niño, 59 (cuadro)
– niño, en el grupo, 62
– niño, en familia, 61
– objetivos, 138
– psicología del niño
en edad, 136
– rendimiento, test de, 146

Escucha activa, características, 25

Escuchar, 19, 24, 25
Ver también Comunicación,
Diálogo

Escuela, 127
– antes de empezar, 128
– padres ante la, 141, 142
– primaria, 133
– y valores, 140

Espiritual, desarrollo, 180-181
(cuadro), 183
– dimensión, 179 (cuadro)

Estilo de vida, 154, 168

Estilos paternos, 105 (cuadro)

Ética, tradición, 176

Ético, desarrollo, 180-181
(cuadro)

Familia, 13
– y rendimiento escolar, 16
– y valores, 167

Fantasía y televisión, 75

Feminidad, 120

Filosofía vital, 168

Gandhi, 176 (cuadro),
181 (cuadro)

Gesell, Arnold, 132

Grupo, formación del, 63
– funciones del, 63
– qué hacer frente al, 64

Guardería, 129 (foto), 130

Hacerse pis, 143

Havighurst, Robert, 86

Herencia, 87

Hiperactivo, niño, 94, 135 (cuadro)

Homosexualidad, 123

Identidad, propia, 151
– sexual, 117, 118, 121

Identificación sexual, 120

Indisciplina, 101, 103 (cuadro)

Integral, educación, 147

Intelectualmente deficiente,
niño, 144

Inteligencia y edad temprana,
42 (cuadro)

Interacción lingüística
del niño con los adultos, 44

Internet, 81

Jacobson, 60

Jesucristo, 176, 178 (cuadro),
180-181 (cuadro), 182

Juego, asociativo, 69 (cuadro)
– cooperativo, 69 (cuadro)
– en solitario, 69 (cuadro), 70
– etapas socializantes del, 69
(cuadro)
– función socializante del, 71
(cuadro)
– paralelo, 69 (cuadro)
– ¿para qué sirve?, 68
– y juguetes, 66

Juegos, didácticos, 77

Juguetes, 45
– apropiados, 70

– didácticos, 77
– en edad preescolar, 72, 73
– y juego, 66

Lactante, niño, 59 (cuadro)

Ladrón niño, 135 (cuadro)

Lenguaje, aprendizaje del, 43
– desarrollo del, 41

Llanto, 42 (cuadro), 46,
54 (cuadro)

Llorón, niño, 54

Looney, Gerald, 74

Lúdica, complejidad, 67 (cuadro)

Lúdicos, métodos y
procedimientos, 131

Lutero, 176 (cuadro)

MacArthur, Douglas,
186 (cuadro)

Malcriado, niño, 53, 101 (cuadro)

Masculinidad, 120

Maslow, Abraham, 160 (cuadro)

Materno-filial, vínculo, 52

Mentiras, 176 (cuadro)

Mentiroso, niño, 135 (cuadro)

Menús infantiles, 34 (cuadro)

Miedo a la oscuridad, 92

Modelos, 121, 154, 171, 173

Moisés, 178 (cuadro), 182

Morderse las uñas, 164

Moro, Tomás, 176 (cuadro)

Motivación, 175

Mundo social, del bebé, 51
– del niño, 59

Necesidad de educar en valores,
173 (cuadro)

Necesidades, afectivas,
160 (cuadro)
– fisiológicas, 160 (cuadro)
– y valores, 170

Niño, hiperactivo, 94, 135 (cuadro)
– intelectualmente deficiente, 144
– ladrón, 135 (cuadro)
– llorón, 54
– malcriado, 53, 101
– mentiroso, 135 (cuadro)

– preescolar, socialización del, 58
– superdotado, 145

Niños y niñas, diferencias, 121 (cuadro)

Normas, 108

Objetivos de la etapa escolar, 138

Oración, de un padre, 186 (cuadro)
– hábito adecuado para el niño, 137 (foto), 138

Ordenadores, 81

Oscuridad, 92

Papel de los padres, cómo favorecer la autoestima de los hijos, 157, 158 (cuadro)
– frente al desafío escolar, 142 (cuadro)
– y desarrollo psicológico equilibrado de sus hijos, 49 (cuadro)
– y la disciplina paterna que favorece la autodisciplina del niño, 105 (cuadro)
– y su presencia activa, 52

Parten, Mildred, 69

Peck, Robert, 86

Pedagogía en el desarrollo de los valores, 175

Periodo preescolar, 130

Permisividad de los padres, 88

Personalidad, 83
– equilibrada, cómo favorecerla, 89 (cuadro)
– etapas, 47
– infantil, 86
– y emociones, 46

Pestalozzi, 182

Piaget, Jean, 37, 40

Pirámide de Maslow, 160 (cuadro)

Platón, 177

Precauciones relativas a la disciplina, 100

Preescolar, edad, 28
– niño, 59 (cuadro)
– niño, en familia, 58
– fuera de casa, 60
– niño, modelos paternos, 58
– niño, socialización, 58

– objetivos, 131
– periodo, 130
– problemas, 134
– psicología del niño en edad, 132

Premios, 107 (cuadro)

Prepuberal, edad, 113

Presencia activa de los padres, 52

Primeros años, 33

Principios, de relación familiar, 14
– adquisición de, 168

Problemas del niño en edad preescolar, 134 (cuadro)

Proceso de formación del carácter, 85 (cuadro)

Proverbios, 178 (cuadro), 182

Psicología, 132, 136
– del niño en edad escolar, 136
– del niño en edad preescolar, 132
– en el desarrollo de los valores, 174

Psicomotricidad, 130

Pubertad, 113

Realización personal, 160 (cuadro)

Rechazo, consecuencias del, 48

Recompensas, Ver Premios

Reglas, en la familia, 108
– y funcionamiento del grupo, 63

Relación familiar, principios de, 14

Religión Ver Espiritual

Rendimiento escolar, test, 146

Represión, 106 (cuadro)

Resultados, de la autoestima, 154
– de una autoestima sana, 159 (cuadro)

Rigidez de los padres, 88

Rogers, Carl, 151

Rosenthal, 60

Rutina del bebé, 49

Salomón, 178 (cuadro), 182

Seguridad, emocional, 64
– física, 160 (cuadro)

Sentimientos de inferioridad, 156

Sermón de la montaña, 178 (cuadro)

Sexo, actitudes frente al, 116
– y televisión, 75

Sexual, educación, 111, 113, 124
– identidad, 117, 118, 121

Sexualidad, 111
– desarrollo, 112

Síndrome de carencia afectiva, 50

Sistema educativo y valores, 171 (cuadro)

Sobreprotección, 53

Social, ámbito, 57
– mundo, del bebé, 51
– evolución del, 59

Socialización, 58, 69 (cuadro), 71

Sociograma, 63
– escolar, 64 (cuadro)

Sócrates, 176 (cuadro)

Superdotado, niño, 145

Tagore, R., 183

Tartamudeo, 90

Televisión, 70
– consejos sobre, 79
– riesgos, 74
– ventajas, 78
– y ejemplo de los padres, 80
– y fantasía, 75
– y sexo, 75
– y violencia, 74

Teoría, biológica, 121 (cuadro)
– del aprendizaje social, 121 (cuadro)
– del desarrollo cognitivo, 121 (cuadro)
– psicoanalítica, 121 (cuadro)

Test, de autoestima, 165
– de rendimiento escolar, 146

Tics, 93

Tiempo, dedicarlo a los hijos, 52

Tierno, Bernabé, 170

Tradición ética, 177

Transmisión de valores, 177

Triángulo educativo, 139 (cuadro)

Uñas, morderse las, 164

Vallejo-Nágera, Juan Antonio, 26

Valores, 167, 65, 140, 168
- componente de los, 170
- escala de, 154
- espirituales, 182
- éticos, 182
- adquisición de, 168
- frente al sexo, 116
- necesidad de educar en, 173 (cuadro)
- pedagogía en el desarrollo de los, 175
- psicología en el desarrollo de los, 174
- según la gente, 156 (cuadro)
- sociales, 182
- superiores, 182
- y escuela, 140
- y familia, 173
- y necesidades, 170
- y sistema educativo, 171 (cuadro)
- transmisión de, 177

Van Pelt, Nancy, 49

Verdad, 176 (cuadro)

Videojuegos, 81

Vínculo materno-filial, 52

Violencia y televisión, 74

Vives, Luis, 182

White, Ellen G., 53, 54, 155

PROCEDENCIA DE LAS ILUSTRACIONES

Todas las **fotografías, cuadros, gráficos y dibujos** que no figuran en esta relación han sido realizados por el **EQUIPO EDITORIAL DE SAFELIZ** (ver pág. 4).

COREL PROFESSIONAL PHOTOS: págs. 17, 19, 21, 85, 138, 162, 163, 169, 173, 177, 179, 181, 182.

DIGITAL STOCK: págs. 15, 80, 81, 82, 101, 118, 126, 147, 157.

DOMÉNECH, FRANCISCO: pág. 91.

GAZELLE TECHNOLOGIES INC.: págs. 30, 31, 34, 55, 61, 99, 100, 104, 119, 120, 133, 135, 136, 152, 176, 183.

GÓMEZ, MARIANO: pág. 140.

ÍNDEX (VESEY/VANDERBURGH): cubierta anterior.

STOCKBYTE: págs. 9, 12, 22, 23, 24, 26, 27, 29, 32, 35, 41, 42, 44, 45, 46, 47, 49, 50, 51, 53, 54, 56, 62, 65, 66, 68, 71, 74, 76, 78, 85, 86, 87, 88, 89, 90, 95, 96, 101, 102, 103, 105, 106, 107, 110, 112, 113, 115, 117, 121, 125, 129, 131, 137, 142, 148, 150, 155, 156, 159, 161, 166, 171, 172, 175, 178 y cubierta posterior.

THE KOBAL GROUP: pág. 40.

NUEVO ESTILO DE VIDA

Con el propósito de dar sentido a la existencia, Editorial Safeliz ha creado la serie **NUEVO ESTILO DE VIDA,** que abarca las cuatro dimensiones del ser humano: la física, la mental, la social y la espiritual. Las obras de esta colección se publican en alemán, inglés, francés, portugués, árabe, checo, eslovaco, croata, rumano y español. Hasta ahora se han editado los siguientes libros:

Solicite hoy mismo información a:
EDITORIAL SAFELIZ
Pradillo, 6 • Pol. Ind. La Mina
E-28770 Colmenar Viejo (Madrid) España
tel. +34 918 459 877 – fax +34 918 459 865
e-mail: admin@safeliz.com – www.safeliz.com